GAYET CİDDİYİM!

GAYET CİDDİYİM!

Yazarı: Gülse Birsel
Yayın Yönetmeni: Meltem Erkmen
Düzelti: Banu Kekeç
Düzenleme: Gülen Işık
Montaj: Kaya Güler

Kapak Tasarımı: Pınar Kazma
Kapak Fotoğrafı: Tamer Yılmaz
Film-Grafik: Ebru Grafik
Baskı: Şahinkaya Matbaası
Cilt: Güven Mücellit

16. Baskı: Haziran 2004, İstanbul

ISBN: 975 331 424-8

Yayımlayan:
Epsilon Yayıncılık Hizmetleri Tic. ve San. Ltd. Şti.
Osmanlı Sk. 24/4 80090 Taksim/İstanbul
Tel: 0212.252 38 21 pbx Faks: 252 47 29
Internet adresi: www.epsilonyayinevi.com
e-mail: epsilon@epsilonyayinevi.com

Genel Dağıtım:
Yeni Çizgi Yayın Dağıtım Ltd. Şti.
Gürsel Mah. Alaybey Sk. No:7
Kâğıthane/İstanbul
Tel: 0212.220 57 70 pbx Faks: 222 61 55
İnternet adresi ve on-line alışveriş: www.yenisayfa.com

GAYET CİDDİYİM!

Gülse Birsel

epsilon®

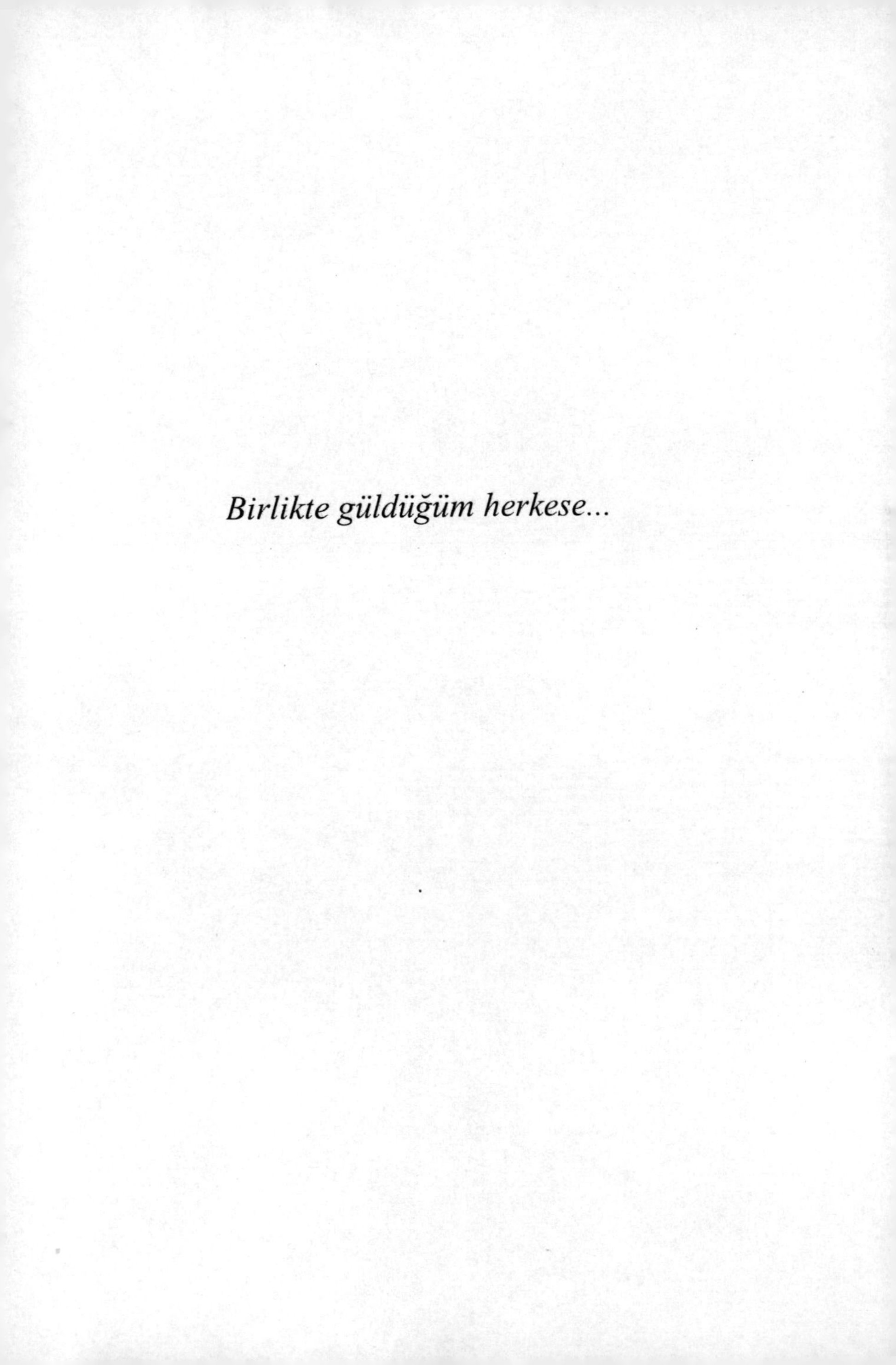

Birlikte güldüğüm herkese...

ÖNSÖZ

Hep aynı soru...

"O metinleri siz mi yazıyorsunuz?"

Artık cevaplamaktan bıktım.

Kimi de abartıyor. Olumlu cevap aldıktan sonra bir kez daha kontrol etme ihtiyacı hissediyor:

"Gerçekten mi? Hepsini mi?"

Çoğu insana göre bir kadının mizah yazması sıfıra yakın ihtimal.

Onlar da diğer ihtimalleri sıralıyorlar:

"Bu programın metinleri tercüme mi? Bir yazar ekibiniz mi var?" hatta "Eşinizden yardım alıyor musunuz?!"

g.a.g. programının metinlerini kimin yazdığı, onların nasıl ortaya çıktığı sanki bir muamma. Oysa jenerikte kocaman yazıyor, "Metin yazarı: Gülse Birsel" diye...

Birçok mizahçı yazar, çizer, gazeteci dost aynı şeyi söyledi:

Bir kadının, üstelik de eli yüzü düzgün bir kadının mizah yazması, komik olması tuhaf geliyor insanlara.

Niye ki?

Benim bir sürü eli yüzü düzgün kadın arkadaşım var. Hepsi çok komik.

Kadınlar galiba kendi aralarında espri yapıp, gülüp, güldürüp, hokkabazlıklar yapıp, sonra erkeklerin yanında zarif, işveli, cazip hallerine bürünüyorlar.

Erkeğin komik olması, kadının gülmesi lazım ya!

Cazibemi yitirmek pahasına, son kez açıklıyorum:

O metinleri de, o yazıları da, hepsini ben yazıyorum. Hatta, alın işte kitabım!

Atla deve de değil yani.

70'li yıllarda doğup bugüne kadar İstanbul'da yaşa, zaten mecburen mizahçı, doğuştan stand-up'çısın.

Elinde değil ki. Sen bir şey yapmıyorsun. Malzeme ayağına dolanıyor!

Sevgili hanımlar, siz de bu malzemeyle, evde deneyebilirsiniz!

EVLER, ODALAR, EŞYALAR VE EV KADINLARI!

Siz hiç ev kadını oldunuz mu?

"Bahar modasını gördün mü? Herkes hippi olacak. Vanilla Sky'ı seyrettin mi? Bence senaryo çok dağılmış... Sence gençler niye intihar ediyor?" gibi sorularım karşısında, ev kadını arkadaşım Leyla eve telefon açtı ve "Fatma Hanım, o köftelere yeşil biber de koyun. Bir de yanına patates kızartın," dedi.

"A, bu hafta olmaz! Önümüzdeki on gün benim için çok yoğun bir dönem," dedi Leyla.

Nişantaşı'nın en havalı öğle yemeği adreslerinden birinde, en civcivli vakitte makarna yiyoruz.

Müşterilerin yüzde doksanı kadın.

İki ayrı grup var: Pantolon ceketleriyle sakin sakin gelip kısa, hızlı öğle yemeği toplantıları yapan iş kadınları; ve koşarak restorana girip vakitsizlikten şikâyet ederek oturan, uzun yemekler yiyen, yine alelacele çıkan, somurtkan ev kadınları.

Çalışan kadınlar, çalışmayan kadınlar...

Çalışan bir kadının nedense vakti daha boldur. Sizi iki toplantı, bir bütçe görüşmesi, bir kokteyl parti, alışveriş ve yarım mülakat arasına sıkıştırıverir.

Oysa bir ev kadını **"O gün doluyum, manikür yaptıracağım,"** der mesela!

Ev kadınları yarım saatlik işleri bir bütün güne yayma eğilimindedirler. Erzak alışverişi, saç kestirme, arkadaşla kahve içme, evdeki musluğun tamiri, onlar için tam günlük işlerdir.

Ev kadınlarının telefon konuşmaları da uzun sürer. "**Ne yaptın bugün?**" denen bir iş kadını, tüm günü **"Bildiğin gibi,"** diyerek özetlerken, sesinde bir an önce sadede gelmenizi rica eden bir uyarı tonu hissedersiniz.

Ev kadını ise anlatmaya başlar: **"Sabah kalktım. Kahvaltı ettim. Kahvaltıda artık yumurta yiyorum. İlginç bir rejime başladım. Onu da anlatacağım. Fakat bu bizim yeni kadın yumurtayı bile doğru dürüst yapamıyor. Geçen gün..."** Sohbet böyle başlar ve detaylar, tekrarlar ve şikâyetlerle örülü, sonsuza dek devam edebilir.

(Tabii ki belli bir kesimden söz ediyorum. Siz tarla sürüp, çamaşırını külle derede yıkayan, ekmeğini bile kendi yapan bir kadın olabilirsiniz. Ama zaten o zaman da siz bir çalışan kadınsınız demektir.)

Öğle yemeği yediğim Leyla, 90'lı yıllar boyunca dergi çıkarırken bir yandan gece hayatının altını üstüne getirmiş, aynı dönemde gazetelerde yazı yazmış, boş zamanlarında bir sanatçının menajerliğini yapıp kalan vaktinde de hobi olarak fotoğraf çekmiş bir arkadaşım. Yeni milenyuma girerken evlenip, 2000'de bir de çocuk yapınca ortalarda görünmez olmuştu.

Ona bir "free lance" yazı işi teklif etmek için aradım. Randevuya gecikerek ve nefes nefese, hiçbir şeye vakit bulamadığından şikâyet ederek geldi.

90'lı yılların acar gazetecisi, gece hayatının kraliçesi Leyla, ev kadını olmuştu!

Evim, güzel, sıcak, uyuşuk evim

"Ev" çok güçlü bir şeydir.

Sıcaktır, yumuşaktır, güzel kokar...

Tanıdıktır, güvenlidir, yapışkandır, şirindir.

Size çok âşık, pek işi gücü de olmayan bir sevgili gibidir. Aranızdaki ilişkiyi belli bir mesafede tutmazsanız 24 saati sizinle geçirmek ister!

Uyuşturucu özelliği vardır. Alışır gidersiniz. Bütün vaktinizi birlikte harcamaya başlarsınız. Bir de bakarsınız, kuralları o koymaya başlamış.

Grip olduğumda anladım bunu.

Beş yaşından beri hafta ortaları evde oturmamış biri için ilginç bir deneyimdi.

Önce sıkıntıdan patladım. Dayanamayıp, ateşli ateşli, oturup çalıştım.

İkinci gün fotoğraf albümü yerleştirme, tabloların yerini değiştirme, giysilerimi elden geçirme, daha önce okuyamadığım Susan Sontag'ın fotoğrafçılıkla ilgili kitabına başlama gibi daha hafif aktivitelere giriştim. Akşama doğru hedeflediklerimin yarısını bitirip, kalanını ertesi güne erteledim.

Üçüncü günü sütlaç yaparak geçirdim. Tam kitabı elime alacakken, akşam oldu!

Dördüncü gün kendimi biraz bitkin hissettim ve genellikle televizyon seyretmeyi tercih ettim.

Beşinci gün saçımı taramak bile yorucu iş gibi gelmeye başladı.

Bir iş kadını için büyük lüks olan her şeyi yapmaya başladım: Üşendim, erteledim, vazgeçtim!

Yavaşladım. Miskinleştim. Ve ev beni yuttu!

Milan Kundera'nın *"Yavaşlık"*ı gibi, durup fark etme, daha önceleri görmediğin şeyleri görme manasında iyi bir yavaşlık değildi ama bu. Kötü bir histi. Daha çok Woody Allen'ın *Annie Hall* filminde söylediğine benziyordu: **"Sıcak, rahat ortamlar bana yaramıyor. Olgunlaşıp çürümeye başlıyorum!"**

Birinci cemre düştü, dolayısıyla çok yoğunum!

Ben artık bir ev kadınıydım ve yapılacak her küçük iş, üzerinde düşünülmesi, plan yapılması, stres yaşanması gereken, önemli, ağır, yorucu bir görevdi.

İşe gitmeye falan da hiç niyetim yoktu.

Sabah programları, Türk kahvesi, iki telefon, "Burası neden tozlu!" derken akşam oluveriyordu. Zaman su gibi akıyordu.

Hayatının berbatlığını fark eden bir eroin bağımlısı gibi, gribim tam olarak geçmeden, ama iş işten geçmek üzereyken, panik içinde, kendimi sürükleyerek ofise gittim ve ilk toplantıda SİLKİNİP UYANDIM!

Leyla ise uyuyup, bir daha da uyanamamıştı ne yazık ki...

"Önümüzdeki 10 gün çok doluyum," dedi.

"Hayrola?" diye sordum

"Babamın ortağının kızı evlenecek 10 gün sonra," diye açıkladı, daha doğrusu açıkladığını sandı ve makarnasını yemeye devam etti.

Ee?

"Gelinlik minicik taşlarla süslü ve onları teker teker sen mi dikiyorsun?", "Düğün yemeğini tek başıma pişiririm diye iddiaya mı girdin?", "Nişanlı çifte kerpiçten ev mi yapıyorsun?" gibi sorular geliyor aklıma. Suratıma bakınca anladı tabii. Ve kendine göre "biraz açtı":

"Babamın ortağı aynı zamanda çok iyi arkadaşıdır!"dedi!

"Haa ondan demek!" diye cevap verdim!

"Tabii, yoksa boş bir zamanım olsa seve seve. Çok özledim

yazı yazmayı. Ama sonra da zaten bayram girecek araya. Martta oğlumun doğum günü var. Ardından bahar, Bodrum'a yazlığa gidip gelmeler. Yoğunum yani. Ekimde falan başlasam?"

"Tabii, tabii," yaptım.

Ve iş konusunda Leyla'dan ümidi kesip, bari öğlen yemeğini kurtarma umuduyla şundan bundan bahsetmeye başladım.

"Bahar modasını gördün mü? Herkes hippi olacak, rengârenk, çok şık. *Vanilla Sky*'da hiç iş yok, senaryoyu öyle bir dağıtmışlar ki bir daha toparlanamıyor. Gençler niye intihar ediyor sence? 10 yıl önce bizi üzmeyenler internet çağında çok mu kısıtlayıcı hale geldi? Zamanla birlikte disiplin kuralları da değişmeli mi acaba? Bu arada Orhan Pamuk'un yeni kitabından sonra herkes bayramda Kars'a gitme planı yapıyormuş. Hatta Gezi dergisi Kars'ı kapak yapacakmış."

Leyla dikkatli dikkatli bana bakarken, **"Bir dakika,"** diye gülümsedi, **"bir telefon edeceğim."**

Orhan Pamuk'u mu arıyordu acaba?

Yoksa Karslı bir arkadaşını mı?

Belki de Vanilla Sky rezervasyonunu iptal edecekti.

"Fatma Hanım, o köftelere yeşil biber de koyun. Bir de yanına patates kızartın," dedi ve tekrar bana döndü:

"Ay çok yoğunum. Ha ne diyordun?"

Anladım ki beni hiç dinlememiş zaten.

"Ev," dedim, "insanı YUTAR, biliyor muydun?"

DAĞINIKLIK

Evler niye dağılır?

Ben size söyleyeyim.

Evler kendi başlarına yaşayan birer organizmadır. Ve kendi kendilerini dağıtırlar.

"Bunu buraya kim attıı?" diye seslenirsiniz. Kimse cevap vermez.
"Bu bardağı sen mi buraya koyduuun?"diye bağırırsınız.
"Yoo ben koymadım!"
"Koltuğa kim çiklet yapıştırdıııı?"
Cevap yok.
Evde yaşayan herkes inkâr edince, geriye tek açıklama kalır:
Ev kendi kendini dağıtmakta ve kirletmektedir.
Bulaşıklar, giysi dağları, yastıklar, eski gazeteler, boşalmış bardaklar, dolmuş kültablaları, kâğıt topları, hepsi de bu alçak organizmanın işbirlikçileridir!

"DEKARASYON"

Dekorasyon kazık bir iştir.
Renkleri uyduracaksın, eşyaların tarzı birbiriyle gidecek, ufak mekânlar ayrı problem...
Haydi diyelim, bunları hallettiniz.
Dekorasyonun bambaşka zor bir tarafı daha var: Terimlerin telaffuzu!
Nedense çoğumuz, bununla ilgili büyük müşkül içinde. Dekorasyon yerine "dekarasyon", karyola yerine "kayrola", gardırop yerine "gardolap", sehpa yerine "sepha"!
Telaffuz yanlışlığı mobilya isimlerinin üzerine lanet gibi çökmüş!
Belki de işi profesyonellere bırakalım diye, iç mimarların bize bir oyunu bu. Karşımıza geçip şöyle diyebilsinler diye işi karıştırmışlar: "Aahahahhayy, kayrola değil ayol o, karyola! Aman, lütfen, işi bir bilene bırakın, daha fazla rezil olmayın dostum. Dekorasyon kolay iş değil. Bak daha telaffuz edemiyorsun!"
Dekorasyon, aynı zamanda büyük bir yalan. Hakikaten. Hiçbir şey göründüğü gibi değil.
Plastik meyveler, kumaş çiçekler, eskitilmiş ama eski olmayan masalar, ahşap görünümlü plastik dolaplar. Kimi kandırıyoruz ki? Sanki mutfaktaki kâsede yıllardır duran o ananası herkes gerçek zannediyor.

Dekorasyonla uğraşmayın. Evi kendi haline bırakın, o tarzını bulur!

BEN TAMİRCİ DEĞİLİM!

Evle ilgili problemler insanın hayatını karartabilir.

Akan bir musluk, bir elektrik problemi, badana zamanı, tahammül etmek için çelik gibi sinirler gerektiren dönemlerdir.

Diyelim ki bir şey bozuldu, tamirci çağırdınız.

Tamirci gelir, yaklaşır ve tamir edilecek yere, kafasını tek yana eğerek bakar. Öyle uzun, boş bir bakıştır ki bu, sanki arkasından şöyle diyecektir:

"Ben tamirci değilim ki, ben mısırcıyım. Eve de yanlışlıkla girdim. Bu ne?"

Daha uyanık olanlarınsa, kapıdan girdikleri anda bile yüzlerinde endişeli bir ifade vardır.

Alete bakıp, biraz elleyip şöyle yaparlar: "Uhuuu, öööf, cık cık cık!"

Problem büyüktür ve pahalıdır yani!

Şimdiye kadar şöyle bir tamirci görmedim: "Aaa, çok kolay, hiç problem değil. Hatta bana gerek yok, şurayı çevirin, tamam!"

Yaşadığım süre de göreceğimi sanmam.

HANGİ "USTA"?

Ev içi aksiliklerin, bozulan aletlerin iki kötü tarafı vardır.

Bir, genellikle gece, pazar günü, bayram gibi en uygunsuz zamanlarda meydana gelmeleri.

İki, bunları düzeltmek için eve usta çağırma zorunluluğu.

"Usta" kelimesi ilk ne zaman kullanılmış bilmiyorum. Ama ben bu kelimenin sözlük anlamını hak eden, hak etmeyi bırakın, uzaktan çağırıştıran bir ustayla bile henüz karşılaşmadım!

Genellikle olan şudur: Evdeki arıza, asla basit ve sık görülen bir problem değildir ustaya göre.

Sorun damlatan bir musluk bile olsa usta şunu yapar: "Cık cık cık. Hay Allah ya!" Bu "Hay Allah ya" size midir, musluğu imal edene midir, ilk kez takana mıdır, bilinmez.

Ama her ihtimale karşı, sessiz ve itaatkâr, azıcık da tırsmış, öylece beklersiniz.

"Şimdi, zaten bu musluklardan artık yok! Yani bunlar o kadar eski ki, siz burayı gompile olarak değiştirin daha kolay."

Komple. Daha doğrusu "gompile!" Ustaların en sevdiği laflardan biridir.

Ya musluk eski modeldir, ya cıvatası bulunmaz, ya lavabonun şekli yüzünden damlatmaktadır, ya da evin su tesisatı doğuştan problemlidir.

Siz tüm lavaboyu, hatta banyoyu, daha da iyisi evi "gompile" değiştirseniz, yani ustaya büyük kolaylık olur!

Psikolojik sağlığınız için ev aksiliklerinden mümkün olduğu kadar kaçmaya çalışın.

BEYAZ EŞYA

Ev hayatında beyaz eşyalara neredeyse canlı muamelesi yapılır.

Belki de koltuk, masa gibi eşyalardan farklı olarak, aslında bizim yapmamız gereken işleri üstlendikleri için böyledir.

Ev kadınlarıyla bulaşık makineleri arasında duygusal bir bağ vardır, örneğin. Ben isim takanları bile gördüm.

Yemeği yakan fırınlara her zaman çok kızılır, sanki bu onların suçuymuş gibi. Bazen fırına karşı bağırış, küfür, kapağını hızla çarparak kapatmak gibi sözlü ve fiziksel tacizlerde de bulunulur!

Bu, bazı beyaz eşyaların, diğer ev möblelerinden farklı olarak, hareket etmesinden, ses çıkarmasından da kaynaklanıyor olabilir.

Elektrik süpürgesi, çamaşır makinesi bu gruptandır mesela.

Özellikle de eski çamaşır makineleri.

Hatırlarsanız twist yaparak çalışırlardı!

Hatta evin çocukları bu makinelerin üzerine oturtularak eğlendirilir, böylece bir taşla iki kuş vurulmuş olurdu.

Bu makineler zaman zaman sadece dans etmekle kalmaz, banyoyu da dolaşarak teftiş ederlerdi. E şimdi böyle bir şeye "eşya" diyemeyiz.

Bugüne geldiğimizde, makinelerin de insanlarla aynı değişime uğradıkları görülüyor.

Artık fiziksel güçlerinden çok beyinlerini kullanıyorlar. Programlanan fırınlar, kokuları birbirine karıştırmayan buzdolapları, beyazlarla renklileri ayıran çamaşır makineleri...

Hepsinin içinde birer bilgisayar var; ve bu yapay zekâyla, korkarım bir süre sonra, bize hizmet etmeyi reddederek, kendi hayatlarını kuracaklar.

O zaman, işte o taciz görmüş fırının intikamını korkuyla bekliyorum!

SANATÇILAR SİTESİ!

Site hayatı özellikle şehirlilerin yabancı olmadığı bir kavram.

Bir sürü apartmanı bir araya getirirsiniz, ortaya uyduruk bir tenis kortu, bahçeye benzer bir yeşillik veya kapıya bir bekçi, oldu sana site.

Bazı siteler de çok lüks tabii. Spor salonları, havuzlar, meditasyon odaları!

Ama bütün sitelerin ortak özelliği iddialı isimler.

İçinde "konak", "saray", "köşk" gibi lafların geçtiği siteler, üç dört çam ağacı yüzünden "koru, orman," adı alanlar...

Ama en önemlisi de toplu meslek gruplarının isim verdiği siteler. Mesela Sanatçılar Sitesi.

Büyük hayal kırıklığı!

İnsan zannediyor ki, bu siteden ev alınca şöyle bir hayat olacak:

Site içinde sabah yürüyüşüne çıkacaksınız, "Aa Hülya Avşar, günaydın, nassınız? Ooo Cem Yılmaz, n'aber abi?" Bakkalda Güher-Süher Pekinel, tenis kortunda Yıldız Kenter. Herkes balkona çıkmış, resim, heykel falan yapıyor.

Maalesef böyle bir şey yok.

Ayrıca böyle bir durum gerçek olsa, Sanatçılar Sitesi dışında, diğer alternatifler oldukça sıkıcı olurdu. Mesela Kabzımallar Sitesi, Hesap Uzmanları Sitesi, Karbüratör Toptancıları Sitesi...

24 saat, 365 gün bir bayii toplantısı havası, ki kâbus gibi bir şey...

YAŞASIN, DETERJAN!

Bir sürü reklamda aynı mesaj veriliyor. Dünyanın en berbat şeyi geliyor başına, arabana çarpıyorlar, evin yıkılıyor sözgelimi, "Boş ver, sen bir gazoz iç," diyorlar!

Manyak mıyım ben? Gazozun sırası mı?

Reklam insanları çok kolay mutlu olan cinsten.

Özellikle de ev kadınları. Mutfağa giriyorlar, bakıyorlar ki bomba düşmüş! Yüzlerce iğrenç bulaşık, yerler leş.

Normal şartlarda, benim bildiğim, ev kadınlarının ev ahalisini kılıçtan geçireceği bir durum!

Sonra bu kadın, tezgâhın üstünde bulaşık deterjanını görüyor ve gülmeye başlıyor.

Ben bu noktada "Tamam," diyorum, "kadın kafayı sıyırdı!"

Hayır. Kadın deterjanı görünce, "Oh, iş bitti," diye seviniyor.

Pardon, bu mutluluğun kaynağı nedir? Siz bulaşıkları deterjansız, sade suyla mı yıkamayı düşünüyordunuz?

Bulaşık makinen bile yok kardeşim! Sen bırak her şeyi, bu herifi terk et, pılını pırtını topla, çek git, kendine yeni bir hayat kur. Her şekilde bundan daha iyi olur.

Reklam insanları, silkinin ve kendinize gelin! Hayattan daha çok şey bekleyin.

TEMİZLİK MERAKLISI TEYZELER

Temizlikle ilgili hafif ruhsal bozukluklar nedense daha çok kadınlarda görülüyor. Maalesef!

Daha ağır ve daha bilinçli vakalar tedavi görüp kurtuluyorlar.

Ama hafif durumlar ne yazık ki toplumda bizimle iç içe yaşıyorlar.

Temizlik meraklısı teyzeleri, evlerinde girilmeyen odalar, kullanılmayan eşyalar ve koltuk örtülerinden tanırsınız.

Bu tür, canlıların kullanımına kapalı oda ve eşyaların sebebi temizliktir. Ayakkabı çıkarılır, terlik giyilir, her şeye el sürülmez, el bezi verilir.

Oturup iki laf edemezsiniz; çünkü teyze halıdan ip, oradan buradan toz zerrecikleri ve en kötüsü üzerinizden saç toplamaktadır!

Bu teyzelerle dış dünyaya çıkılmaz.

Çünkü kendi steril ortamlarından çıktıkları anda, hayatı hem size hem kendilerine zehir ederler.

Bir yere girersiniz. Hemen çantadan kolalı mendil çıkar: "Üff, leş gibi kokuyor."

Restorana gidersiniz. Tabak, bardak incelenir. Suratta hep aynı ekşi ve tedirgin ifade vardır.

Yemek ısmarlarsınız keyifle, teyze atılır: "Ay bilmem ki ne yesem, bunların mutfağı da pistir!"

Garson yemeği getirir: "Bu çocuklar ellerini de yıkamıyorlardır."

Fenalık geçirmek işten değil!

Bir de özel bir hareket vardır. Yukarıdaki lafları ederken sol eli, yüzün hemen yanında el sallar gibi iki kere sallayıp, sonra aynı elle ağzı kapatma hareketi!

Deneyiniz! Bu hareket, "Artık ben ucundan söylüyorum, geride kalan felaketleri sen tahayyül et," anlamındadır ve teyzelerin tekelindedir.

Yani bu harekete eşlik etsin diye şöyle diyemezsiniz: "Ayy, ne çok e-mail gelmiş." Yok. Olmaz.

O hareketi layıkıyla yapabilmeniz için dolma sarabilmeniz, farklı kanepe kolu örtüsü çeşitlerine sahip olmanız ve temizlik konusunda ciddi takıntılarınızın olması gerekir.

İŞLER, GÜÇLER, OFİSLER VE ÇALIŞMA HAYATI

Aylaklık hakkımı istiyorum!

En yoğun günler, sabahları bir elimde cep telefonu, bir elimde kalem, kucağımda kâğıtlar ve databankımla, birileriyle tartışarak, stres içinde, dükkânların önünden geçerken, eski eşya satan amcalar, güneşin altında, koltuklara yayılmış, günün ilk Türk kahvesini içiyor oluyorlar! Muhtemelen cumhuriyetin ilan edildiğinin bile farkında değiller! Kıskançlıktan çatlıyorum.

İki arkadaşımla öğle yemeğindeyiz.

Biri reklamcı, diğeri finans sektöründe.

İşten, güçten, sıkışıklıktan, stresten ve bayram tatilinde uzak bir adaya gidip bir daha dönmemekten bahsediyorduk ki, şu ortaya çıktı:

Çalışan kadınlar olarak, üçümüz de, *Amerikan Güzeli* filminin aynı yerine takılmışız:

Stres ve sorumluluktan fenalık geçirip, her şeyi bırakan işadamı ve aile babası Kevin Spacey'nin, hamburgerciden iş isterken, **"Hiyerarşi veya ücret umurumda değil. Sadece en az sorumluluk isteyen pozisyona talibim!"** dediği sahne.

Bayılmışız o repliğe!

Sonra teker teker döküldük.

Yapılacak işler listesi!

Üçümüz de stresten kurtulamıyoruz. Cumartesi günleri de, üstelik kendi isteğimizle, çalışmak zorunda kalıyoruz, genellikle yorgunuz ve hayatımızın bir döneminde doya doya yapmak istediğimiz şeyler var. Mesela:

• Öğle yemeğinde, saati kontrol etmeden tatlı ve kahve ısmarlayabilmek.

• **Kuaföre acele etmeden gitmek, beklerken ikide bir saate bakıp huzursuzlanmadan dedikodu dergisi okuyabilmek.**

• Hafta ortası alışverişe çıkmak.

• **Ajanda, cep telefonu, kartvizitlik, telefon rehberi gibi eşyaları evde unutabilmek ve bunu fark edince kalp krizi geçirmemek. Hatta unuttuğunu fark etmemek!**

• Evde oturup bütün gün kitap okuyabilmek.

• **Sabah kalkıp, bugün ne yapsam diye düşünebilmek.**

• Ve belki de en önemlisi, **aylaklık lüksü**. Dolanıp durup, oturup kalkıp, oradan oraya yatıp, tembellik yapmak. Oscar Wilde ne demiş? *"Kesinlikle hiçbir şey yapmamak, dünyanın en zor şeyidir, en zor ve en entelektüel!"*

Sorumluluklar, tarihler, toplantılar, iç yazışmalar trafiğinde, hiçbir şeyi kaçırmadan, herkesten hızlı koşmaya çalışarak yaşayan bizler, en gergin günlerde hayalini kurduğumuz işlerden bahsetmeye başladık sonra.

Finansçı arkadaşım bir kitapçı dükkânı açmak istiyor.

Reklamcı olan, tekel bayii hayal ediyor! "Stres yok, pazarlama yok, reklam yok. Fiyat belli, talep belli, al, sat, ne güzel!" diye açıkladı sebebini!

Eski eşya satsam?

Benim planım başka. Ben her sabah işe giderken önünden geçtiğim sıra sıra eski eşya satan dükkânlardan bir tanesini devralmayı kuruyorum.

Özellikle güneşli günlerde, kullanılmış sehpa, lamba, ıvır zıvır satan bu adamlar, eski koltukları kapının önüne koyup, açık havada sürekli çay kahve içerek etrafı seyredip, dükkândan dükkâna muhabbet ediyorlar. Zannediyorum Osmanlı'dan beri, nesiller boyu aynı işi yapmışlar.

Hatta belki cumhuriyetin ilan edildiğini bile bilmiyorlar!

Muhtemelen dükkânlar babadan kalma, satışı artırmak gibi bir hedef de yok. Daha doğrusu satış rakamları, talep ve cirolar, kader-kısmet dengesine oturtulmuş!

En yoğun günler, sabahları bir elimde cep telefonu, bir elimde kalem, kucağımda kâğıtlar, dergiler ve databankımla, birileriyle tartışarak, stres içinde, bu dükkânların önünden geçerken, **amcalar, güneşin altında, koltuklara yayılmış, günün ilk Türk kahvesini içiyor oluyorlar!**

KISKANÇLIKTAN ÇATLIYORUM!

Ev kadınlarıyla iş kadınlarını karşılaştıran, evin insanı yutmasıyla ilgili yazım tahminimin üzerinde ilgi gördü. Ben Ev Kadınlarını Koruma ve Güzelleştirme Derneği'nden (!) kınama beklerken, özellikle ev kadınları, e-mailler, hatta telefonlarla, yazıyı çok beğendiklerini, erteledikleri planlarını gerçekleştirmeye karar verdiklerini ilettiler.

Umarım yazıdan, iş kadınlarının hayatının bir gül bahçesi olduğu sonucu çıkmamıştır.

Çünkü değil.

Geçen yazımdan sonra bedbaht olan ev kadınlarının yaşadıkları hayatın çok da fena olmadığını bilmeleri için yazılmıştır...

Ve iş kadınları...

Tatil yapamıyorsanız üzülmeyin.

Koyun kapının önüne bir koltuk.

Sabahtan akşama kadar çay içip etrafı seyredin!

Çok iyi gelecek.

Vakit olsa dükkân sizin!

Oturdum, üşenmeden hesapladım. Kitap okumak, sinemaya gitmek, arkadaşlarla görüşmek, kocamla ilgilenmek, gezip tozmak, sağlık kontrollerimi yaptırmak, dergi okumak, televizyona bakmak veya öylece boşluğa bakmak için günde sadece bir buçuk saatim var! E-mail'lere niye cevap yazamadığımı matematiksel olarak kanıtlamış bulunuyorum.

Okuyucular ve g.a.g. seyircileri bozuk atıp duruyor:

"Size üç kere e-mail çektim, hâlâ lütfedip bir cevap yazmadınız. Teessüf ederim, insan ünlü olunca böyle oluyor demek ki!" rastladığım en yaygın sinirlenme kalıbı.

Özellikle "ünlü olma" bölümündeki hayal gücüne hayranım.

Gözümün önüne geliyor: **Altın rengi, saten bir tuvalet giymişim. Aynı renklerdeki kocaman salonumda kırmızı kadife bir Josephine koltuğa uzanmışım.**

Caz çalıyor. Önümdeki pufun üzerinde de havyarlı kanepeler var.

Elimde bir bardak şampanyayla menajerime (o kimse) çemkiriyorum!

"Gülse Hanım lûtfen (ü değil, dikkat edeniz, şapkalı u). **Hayranlarınız cevap bekliyor günlerdir."**

"Offf. Çok sıkıldım şekerim. Okuyucu parçaları, seyirci parçaları! Beklesinler ayol! Onlarla mı uğraşıcıim. Ayrıca bu şampanya da ısındı. Nöbetçiler!"

Umberto Eco (ki kendisinin romanlarını, özellikle *Faucoult'nun Sarkacı*'nı fenalık geçirerek bitiremeyen ben, makale ve denemelerinin hastasıyımdır) bir yazısında, bir yılını dakika dakika nasıl geçirdiğini hesaplamıştır.

Sonuç olarak bu büyük yazar, akademisyen ve düşünüre, kendisi için, günde sadece 1 saat 40 dakika kalmıştır.

Eh fena da değil.

E-mail'lere neden cevap veremediğimi burada, aynı yöntemi kullanarak yanıtlayacağım. **"Çalışan, çağdaş, bakımlı ve evli bir kadın"** olmanın tüm gereklerini de yerine getirmeye çalışarak.

Dersimiz: aritmetik

Siz de bu gruptansanız, gelin birlikte toplayalım:

Bir yıl 365 gün, yani **8760** saat.

Günde sekiz saat uyku, **2920** saat.

Kahvaltı yirmi dakika, öğle yemeği bir saat, akşam yemeği 1 saat 20 dakika diyelim. Yılda aşağı yukarı **970** saat eder.

Duş, saç kurutma, tuvalet, diş fırçalama vesaire, günde yarım saatten, **182,.5** saat.

Sabah giyinmek, akşam soyunmak, sabahları ne giyeceğine karar vermek, günde 40 dakikadan, **243** saat.

Günde yedi saat çalışma, yani full time bir iş, Hafta sonunu saymayalım, haydi bayram, yılbaşı, yıllık izin, 220 gün çalıştık diyelim, **1540** saat eder.

Şimdi kadın olmanın farkını yaşayalım, bir sürü angaryayla:

Çağdaş kadın spor yapar, kuaföre gider, makyaj yapar.

Spor: Haftada üç gün bir saatten, **156** saat.

Kuaför: Sadece kesimden kesime, boyadan boyaya uğradığınızı varsayarsak, manikür, pedikür ve diğer mecburi ve can sıkıcı bakımlarla, iki ayda bir dört saatten, yılda **24** saat.

Makyaj, bakım: Nemlendirici, makyaj, günde yarım saat, akşam silmesi ve gece bakımı, on beş dakika. Yılda toplam **274** saat!

Alışveriş: Zevk için yapılanı değil, mecburiyi hesaplayalım. Erzak alışverişi ve hediyeler de dahil, haftada üçten, **156** saat.

Ev sorumluluklarına gelelim. Evli bir kadın ya bu.

Temizlik, yemek yapma, derleme toplama: En iyi ihtimali, bir yardımcı olduğunu düşünelim. Yine de ufak tefek işler, sofra kurma kaldırma, şudur budur, günde bir buçuk saatten **547,5** saat.

Trafik: İşe gidiş geliş, en şanslımız için bile, günde bir saatten, yılda **220** saat.

Gazete okumak: Haber alma özgürlüğü. Günde yarım saatten, **182,5** saat.

Yani, evli, çocuksuz, üstelik de yardımcısı olan, herhangi bir çalışan kadının, sadece gerekli işleri yaptığında, yılda harcadığı zaman **7415,5** saat!

Kendi istediği şeylere ayırmak için, iyimser tahminlerle, yılda 1344,5, günde ise ortalama 3,6 **saat kalıyor.**

Benim de işim zor kardiş!

Pekiyi. Şimdi benim durumumu ekleyin.

Normal bir işin dışında, haftada 2 köşe yazısı. Düşünme, bilgi toplama ve yazma aşamalarıyla, üçerden haftada 6, yılda **312** saat.

g.a.g.'ın metinleri, haftada 4 saatten **208** saat.

g.a.g.'ın çekimleri, haftada 5 saatten, **260** saat.

Etti, 780 saat ekstra!

Ne kaldı? 1344.5-780=564,5 saat. **Yani günde 1,5 saat!**

Kitap okumak, sinemaya gitmek, arkadaşlarla görüşmek, kocamla ilgilenmek, gezip tozmak, sağlık kontrollerimi yaptırmak, dergi okumak, televizyona bakmak veya öylece boşluğa bakmak için GÜNDE SADECE BİR BUÇUK SAATİM VAR!

g.a.g'a haftada 100-150 arası, reklam köşesine on beş-yirmi, gazetedeki köşemin adresine de otuz civarı e-mail geliyor.

Asistanım, sekreterim, hatta odam bile yok!

Anlatabildim mi neden herkese cevap yazamadığımı? Şöhret möhret değil yani! Bitkisel hayattayız.

Halinize şükredin ve boş vakitlerin tadını çıkarın.

OFİSTE BAŞARILI OLMANIN YOLLARI

Size işyerinde başarılı olmanın sırlarını açıklıyorum:

• İşe geç gelmeyin, erken çıkmayın, boşu boşuna göze batar.

• Çok dikkat çekici giyinmeyin ki, uzun öğle paydoslarında yokluğunuz fark edilmesin.

• Kendinize bir yüz ifadesi bulun. Çok eğleniyormuş gibi güleç bir yüz veya sorunlarla başedemiyormuş gibi stresli, mutsuz bir surat olmasın. Hep önemli bir projenin ortasındaymış gibi gergin, uyanık ve ciddi bir ifade en iyisidir. Bunu ayna karşısında çalışıp, kıvamı bulduğunuzdan emin olunca yüzünüze yapıştırın.

• Toplantılarda sürekli not alın. Alışveriş listesi yapabilirsiniz, karikatür çizebilirsiniz, ama eliniz durmasın.

• Ofiste dolaşırken, elinizde muhakkak bir iki evrak bulunsun. Masanızın üzeri kitaplar, dosyalar, kâğıtlarla kalabalık görünsün.

• Arada sırada, üç ayda bir uygundur, patronunuzla kısa özel görüşmeler isteyin. Bu toplantılarda maaş, izin ve iş saatleri dışında her şeyden şikâyet edebilirsiniz. Daha çok iç yazışma ve rapor istemek, koordinasyon kopukluğundan şikâyet etmek, yeni projeler üreten bir birim yaratma planınız, uygun konulardır.

Bunları yerine getirirseniz, yapmanız gereken başka hiçbir şey yok. Özellikle büyük ofislerde, aslında hiçbir şey yapmadığınızı kimse fark etmeyecektir.

Bütün gün boş oturmaktan sıkılırım diyorsanız, tetris oynamak, internette chat yapmak, kahve falı bakmak, magazin dergileri, telefon sohbeti, ofis içi aşk mektubu yazıp ciddiye alanlarla dalga geçmek eğlenceli olabilir.

Bazı arkadaşlar tığ işi ve internet üzerinden altılı ganyan da tavsiye ettiler, ama ben henüz denemedim.

Siz önce benim tavsiye ettiklerimle başlayın!

İŞLER NİYE SABAH BAŞLAR?

Sabah uykusu, uykuların kralıdır!

Özellikle güneş doğarken işe gidenlerin, bu görüşüme gözleri dolarak katılacaklarını hissediyorum.

Ne yazık ki içinde yaşadığımız ekonomik sistemde, işlerin çoğu sabah erken saatte başlar.

Sadece bununla kalmaz, önemli toplantılar da erken saatlere konur.

Toplantılara zamanında gelmeniz bazen yetenek ve zekânızdan, hatta şirketteki pozisyonunuzdan daha önemlidir.

Diyelim ki sabah uykunuzdan ayrılamadınız ve 9'daki toplantıya 9:20 gibi varabildiniz.

Toplantı odasına geç girdiğinizde, sadece patronunuz ve rakipleriniz değil, geçen ay acıyıp işe aldığınız, fotokopi makinesini bile tam olarak çözememiş asistan dahi, size sinirli ve ukala bakışlar atma hakkını kendinde bulur!

Benim tavsiyem, bu durumlarda klasik bahanelerden kaçınmaktır.

Yakınların hastalığı, trafik, hafif soğuk algınlığı, çocuklarınızla ilgili bahaneler, unutmayın ki, 1800'lerden beri kullanılmaktadır.

Size tavsiyem, uydurma olamayacak kadar imkânsız bir açıklama bulmanızdır!

Ekmekten zehirlenmek, bir sokak kedisi tarafından ısırılıp kuduz aşısı yaptırmak, bindiğiniz taksinin bir mafya babasının cipiyle çarpışması gibi, hikâyesinin enteresanlığı gecikmeyi unutturacak bahaneler, her zaman en iyileridir.

Toplantı bitip patron gittikten sonra, inanan arkadaşlarla dalga geçmekse ekstra eğlence sağlar.

FOTOKOPİ VELİNİMETİMİZDİR!

Ofislerde âdettendir, her yazışmanın bir sürü kopyası alınır.

Hatta bu amaçla asistanlık, stajyerlik gibi pozisyonlar da yaratılmıştır.

"Bir kişi daha almayalım, gerek var mı?" diyen personel müdürüne, talepte bulunan ofis çalışanının cevabı hazırdır: "Aşkolsun, yahu fotokopi çekecek insan yok!"

Yoktur da hakikaten.

Çünkü nedense işyerlerinde fotokopi çekmek en aşağılık iştir!

İnsanlar kendi kültablalarını dökerler, fincanlarını yıkarlar, masalarının üstünü silerler, ama fotokopi çekmezler.

Kimse kendine gereken evrakın kopyasını kendisi almaz. Bu işi hiyerarşide kendinden bir sonra gelene devreder.

Ya eski çağlarda olsaydı ne yapacaktık?

Tabletlere, papirüse falan yazıyor olsaydık?

Ağaçlar kesilmiş, lifler kurutulmuş, örülmüş, papirüs yapılmış, günlerce elle yazılmış.

"Hmm, çok güzel Nefertiti Hanım, bunun 50 kopyasını alıp arkadaşlara dağıtalım!"

"Eee, tabii efendim, iki güneş yılı sonra sabah dokuzda masanızda olur!"

Fotokopi makinelerine hak ettikleri değeri verelim.

FAKS CİHAZINA ÖLÜM

Faks icat edilmeden önce ne yapıyorduk acaba?

Posta idaresinin güvenilirlik ve hız sicilini göz önünde bulundurursak, herhalde birileriyle elden gönderiyorduk.

Demek ki, sadece bu işleri yapan bir sürü şirket içi ve dışı, getir-götür elemanı ve şoför vardı. En ufak şirkette bile en az bir veya iki kişi.

Ne yaptığımın farkında mısınız?

Şu anda Türkiye'deki işsizliğin sebebini buldum:

Faks!

Yasakla faksı, işsizlik oranı yarı yarıya düşsün.

Gençler artık internet üzerinden chat yaparak arkadaş ve sevgili bulmaya başladılar.

Yani ne demek? Gitti mi bir o kadar da hamburgerci, sinema, muhallebici, çay bahçesi?

Ekonomik krizin sebebini bu gavur icatlarında arayalım!

OFİS "HOBİLERİ!"

Kimse kimseden ofiste bulunduğu süre içerisinde yüzde yüz işe konsantre olmasını falan beklemiyor.

Gerçekleri konuşalım.

İnternette çaktırmadan fal bakma, uzun kahve molaları, telefonda vırvır, uluslararası kaytarma metotlarıdır.

Bazen çaktırmadan tırnağının bozulmuş ojesine rötuş yapan falan da görülür.

Ancak, ben sadece Türkiye'de ofiste örgü örene rastladım!

Devlet dairelerinde yaygın bir uygulamadır.

"Ne yapayım, görünmez işsizim. Daha doğrusu o kadar görünür işsizim ki, buraya başka iş getiriyorum, sırf boş durmayayım diye. Yani sıkılacağıma bir kazak bitiririm," demek olur. Gayet açık ve nettir.

Yani gerekli alet edevat olsa, dikiş dikmek, salça, reçel yapmak, turşu kurmak gibi aktiviteler de gerçekleşecek. Maksat, insan vaktini boşa geçirmesin!

Belki de işyerlerinde dokuzdan beşe çalışmak aslında yanlış. Sabah mahmurluğu, gevezelik, "g.a.g'da gördün mü?" sohbeti, beş çayı, sigara molaları, akşam üstü rehaveti derken, insanların çoğunun günde ortalama bir iki saat çalıştığını (o da iyimser bir tahminle) göz önüne alırsak...

Bilemiyorum otoriteler ne düşünür, ama mesela benim için, 11'le 15 arası, öğle yemeği molası da dahil, çok uygun.

Daha verimli olacağıma garanti veririm!

ZORLUKLARA KATLANMA

Her işin kendine göre zorluğu, stresi vardır derler.

Yalan!

Bence yalan.

Bir sürü meslek var ki, stresin neden kaynaklandığını anlamak mümkün değil.

Mesela postanede, mektuplara damga basan arkadaşın stresi, olsa olsa geçim sıkıntısından, özel problemlerden falan kaynaklanıyordur.

Yoksa işin kendisinde pek bir şey yok, itiraf edelim.

"Evvet, damgayı alıyorum, işte mektup, doğru yere basmalıyım, acaba basabilecek miyim, yoksa kenara mı gelecek? Ah, bu strese dayanamıyorum." Böyle bir şey yok ki.

Veya kaligraflar:

"Lütfen beni bu telefondan aramayın. Benim hafta sonuna kadar bütün küçük a'ların içini doldurmam lazım! Sinirlendirmeyin beni! Patlayacağım stresten!"

İşin gerginlik katsayısıyla, işi yapanın sinirliliği galiba ters orantılı.

Beyin cerrahları, pilotlar falan, gayet sakin, güler yüzlü insanlar genellikle. Ama mesela tanıdığım bütün santral memureleri ters ve gergin tipler.

Her şeye sinirleniyorlar.

Kardeşim, stresini azalt, en kötü ihtimalle yanlış numarayı bağlayacaksın. Öteki beyinle oynuyor, o n'apsın?

GERÇEK MESLEĞİNİZ NE, SÖYLEYİN!

Birçok casus filminde değişik karakterler gözümüze çarpar.

Mesela, köşedeki kitapçının gözlüklü, sessiz sedasız tezgâhtarı, aslında bizimkiler için çalışmaktadır ve bir sürü kitabın içinde de silah falan saklıdır.

Sonra, esas çocuk veya esas kız, özel bir görev için, garson, dansçı, kasiyer kılığına falan girer; komedi unsuru da varsa, bu işleri beceremeyip bir alay salaklık yaparak acemi olduğunu belli eder...

Ben etraftaki birçok profesyonelden şüpheleniyorum.

Mesela süpermarketlerdeki görevliler.

Elbette hepsi üzerine alınmasın ama, şöyle şeyler oluyor.

-Merhaba, baharatlar ne tarafta?

-Ayy, eee, hiç bilmiyorum!

Şimdi bu kızın, kesin gizli bir görevi var!

Ben marketten çıktıktan iki saniye sonra, silahını çıkarıp, taklalar atarak bir seri katil falan yakalıyor diye ümit ediyorum. Çünkü eğer gizli görevde değil de gerçekten kendi işindeyse, çok üzücü.

Sonra bazı garsonlar, onlar kendini biliyor:

-Acaba bu menüdeki sebzeli tavuk haşlama mı, kızartma mı? Yani nasıl yapılıyor?

-Şimdeee, tavukla yapılıyor. Ve... Sebze konuyor.

Hadi ya!

Şimdi bu adam kesin casus!

On dakika önce gelmiş, kılık değiştirmiş, gizli görevde.

İnsanın bu kadar mı dünyadan haberi olmaz?

Bence çoğu kasiyerin, garsonun, elektronik dükkânı çalışanının asıl mesleği bu değil.

Onlar bilgi toplamak veya birilerini takip etmek için görevlendirilmişler!

MESAİ SAATLERİ

Mesai saatleri her mesleğe göre değişir.

Tabii en şanslılarımız, sabah dokuz akşam beş çalışıp, hafta sonları da gezip tozan çoğunluktur.

Ancak her meslek böyle değildir. Geceleri çalışan insanların hayatını hep merak etmişimdir.

Mesela şarkıcılar, hatta çocuk şarkıcılar.

Anne babalar nasıl hallediyordur bu durumu acaba?

"Küçük Abdurrahman, oğlum, ben sana sabah olunca yatılacak demedim mi? Git uyu bakalım, çocuklar hava aydınlıkken ortada dolaşmaz! Gece programın var çocuum, ondan sonra serviste uyuyorsun! Şarkı sözlerini unutacaksın, bak karışmam. Git uyu bakalım, aman da aman, Allah zihin açıklığı versin."

Tabii sadece şarkıcılardan değil vampirlerden de bahsetmek lazım.

Bence biraz haksızlık ediliyor.

Yani zannediliyor ki, adamların soluk tenli olması, pelerin giymesi falan, ürkünçlüğün altını çizmek için.

Şimdi efendim, adam gece çalışıyor, gündüz uyuyor. Güneş görmüyor. Yoksa istemez mi bronzlaşmak? İşten güçten vakit mi var?

Ayrıca tabii pelerin giyecek, gece kıyafeti, abiye. Bunun soğuğu var, karı var, Transilvanya kışı var.

Mesleğinin gereği.

Eşofman mı giysin?

Bana sorarsanız, tercih ettiğim bir mesai saati yok. Neden derseniz, saatle hiçbir problemim olamaz, ben mesaiye kılım!

HER ŞEY MAL MÜLK,
HER ŞEY PARA PUL!

Bir istirhamım var, sevgili okuyucularım!

Kriz gazeteciyi fena vurdu. Tam da Nişantaşı'na taşınıp kendimizi New York Times'ta çalışıyor zannederken. Eskiden Gucci müşterisi olan, kadın dergilerinin kızları bile, öğlenleri simit-krem peynir "modası" başlatmışlar. Bütün dergiciler de, sanki maaşlarla ilgisi yokmuş, hakikaten bir trendmiş de herkes havalı olduğu için mecburen uyuyormuş gibi davranıyor. "Yoksa çıkıp Park Şamdan'da yiyeceğiz ama, moda bu, n'apalım!" gibisinden.

İşler düzeliyor, piyasalar toparlanıyor falan diyoruz ama...

Kriz, basını fena vurdu.

Özellikle de Nişantaşı'nı karargâh edinmiş Sabah'ı.

Biz bu mahalleye ilk geldiğimizde nasıl havalıydık, nasıl. En başta da dergi grubu...

Gucci'den, Armani'den ya da gelir düzeyine göre daha hesaplı mağazalardan, en azından ucuzluk zamanı, gerekli gereksiz alışverişler...

Maaşı, Downtown'da öğle yemeklerine, Buz'da akşam üstü içkilerine gömmeler...

İyice azıtanların, sabah kahvaltısını bile Nişantaşı kafelerinde "croissant" ve "eggs benedict"le edip, ellerinde kapaklı kâğıt bardakta kahveyle, yürüye yürüye işe gelmeleri...

Bir ekabirlikler, bir şımarıklıklar... Zannedersin ki New York Times'ta çalışıyoruz!

Nişantaşı'nda kriz oldu mu şimdi?

Yıllarca İkitelli'de mecburi hizmet yaptıktan sonra, şehrin en havalı semtine taşınınca, **bir Batı metropolü manzarası, bir Manhattan ilüzyonu yaşadık.**

Derken kriz patladı.

O, sabah kahvaltılarını bile evde etmeyen arkadaşım, geçen gün **elindeki yemek fişlerine şıngırdayan bozuklukları katarak, getirttiği tostun parasını ödemeye çalışırken**, bir yandan da: "Bu Nişantaşı'nın..." diye söyleniyor.

Ev değiştirenler, hatta tekrar anne-babasının yanına taşınanlar... Arabasını satanlar...

Cep telefonunun kapanması, kredi kartına haciz gelmesi, zaten günlük problemlerden olmuş,

Eskiden Gucci müşterisi olan, kadın dergilerinin kızlarıysa, öğlenleri **simit-krem peynir "modası"** başlatmışlar.

Bütün dergiciler de, sanki maaşlarla ilgisi yokmuş, hakikaten bu bir trendmiş de herkes havalı olduğu için mecburen uyuyormuş gibi davranıyor. **"Yoksa çıkıp Park Şamdan'da yiyeceğiz ama, moda bu, n'apalım!"** gibisinden.

Eski Türk filmlerinin, "Biz fakir insanlarız, ama en değerli varlığımız gururumuzdur" sahnesi!

Okuyucuların parasıyla tiyatro

Bizim **g.a.g.** programının yönetmen yardımcısı Dağhan Külegeç, rahmetli Altan Erbulak'ın torunu. O anlattı:

Altan Erbulak 70'li yılların başında, Milliyet'te Taş Arabası isimli köşesinden, okuyuculara şöyle bir çağrı yapar: "Tiyatro kuruyorum, para yetmiyor. Beni seven okuyuculardan destek istiyorum. **Herkes 1 lira gönderse, bir sürü para toplarız!**"

Yarı şaka bu çağrıya, o kadar çok cevap gelir ki, gerçekten çok ciddi bir miktar toplanır ve Kocamustafapaşa Çevre Tiyatrosu biraz da böyle kurulur!

Durumun kötü olduğunu biraz da bu vesileyle anladım.

Son günlerde, çok hoşuma giden bu hikâyeyi, Erbulak'ın esprisinin altını çizmek için herkese anlatıyorum.

Bütün gazeteciler aynı tepkiyi veriyor. Önce gülüyorlar, sonra aniden yüzlerine ciddi bir ifade geliyor.

Gözler tavana dikiliyor, dudaklar sessizce oynuyor.

Hesap yapıyorlar hesap!

Herkes, espriyi bir tarafa bırakıp, parlak bir fikir bulmuş gibi, kendi okuyucu kitlesinden ne kadar istese kaç para toplayacağını hesaplıyor:

"Benim dergim 15.000 satıyor, herkes 1 milyon gönderseee..."

"Benim yazıları kimse okumasa, 100.000 kişi rahat okuyordur. Hepsinden 500.000 lira gelsee..."

"Sevgili okuyucular, desem, mağazaların önünden geçerken vitrinlere bakamıyorum, ben nasıl moda dergisi yaparım, desem, 5000 kişi benim moda sayfalarının hayranı olmuş olsaa..."

Her şey düzeliyormuş, falan, bilmem.

Basının durumu vahim, yönetime duyurulur!

Avro yapma bana!

Üç sene önceydi. Kriz evveli refah günleri. Her şeyin fiyatı dolar üzerinden.

Koltuk kaplatmak için kumaş alacağım. Fiyat sordum.

Satış elemanı çok tecrübeli.

Hani şu sattığı ne olursa olsun, (ayakkabı, elektrikli diş fırçası, kurşunkalem, ucuz viski) bir tarafını sağ elle yukarıda, bir tarafını sol elle aşağıda, sanat eseri gibi tutup gösterenlerden.

"Metresi 18 öro!" dedi!

"Öro mu? Yapma yahu?" diye, hem sinirlenip hem gülerek kendimi dışarı attım.

Şimdi bu yeni paraya alışmaya çalışıyoruz. Her seferinde soruyorum, "Parite kaçtı?", "Dolar mı daha değerli, bu mu?" diye...

Asıl problem "Euro"nun isminde. Kimi "yüro" diyor, kimi "yuuro", bazısı "öro"...

Halbuki doğrusu başkaymış.

Türk Dil Kurumu'nun, 21 Mayıs 1998 tarihli kararına göre, "Euro", Türkçe'ye **"Avro"** şeklinde geçmiş!

Avro!

Rumca kökenli, argo bir kelime gibi gelmiyor mu size de?

"Avro yapma bana kardeşim!" veya **"Alırım avronu aşşaa!"** denecek sanki...

Ve "Euro" cinsinden fiyat söyleyen bütün satıcılara cuk oturacak!

REKLAM AİLELERİ

Reklamlar gerçekçi değildir ve gerçekçi olmamalıdır.

Bir fırın reklamı hatırlıyorum.

Hikâye şu, standart Türk ailesinin başına gelebilecek, sıradan bir olay.

Şimdi bunların Japon ahçıları var!

Japon ahçı, hepimizin evindeki mutfaklar gibi, 150 metrekarelik, yüksek tavanlı, tamamen metal, teknolojik mutfakta, Japon yemeği yapıyor.

Hepimizin hayatından bir kesit yani!

Çocuklar çok seviyor. E, bütün çocuklar sever Japon yemeği!

O arada bir bakıyorlar ki Japon şef yemeği o markanın fırınında pişirmiş, onun için çocuklar o kadar sevmiş.

Evin babası Japona bu konuda şakalar yaparken kamera uzaklaşıyor, reklam bitiyor.

Bu reklamdan sonra bütün Türk babalar kendilerini fakir ve başarısız hissettiler. "Vay be! Bütün Türkiye nasıl yaşıyor, bir de bize bak. Yapamadım ben, beceremedim. Japon değil, Türk ahçı bile yok evde!" diye.

Reklamlar ideal hayatları, güzel evleri, hoş insanları gösterip bize ilham verirler. Reklam dünyası ışıltılıdır ve parayı pulu düşünmez, öylece saçar!.

OLMAZ DOSTUM, BENDE DE YOK!

İlişkilerde, işyerinde, arkadaşlıklarda çoğu zaman düşündüklerimizi söylemiyoruz. Yuvarlak laflar ve bahanelerle işi idare etmeye çalışıyoruz.

Başka ne yapacağız ki?

Diyelim ki bir arkadaşınız sizden borç istedi:

-Yani çok mecbur kalmasam asla borç istemem biliyorsun.

Altyazı: *Borç istiyorum, vermezsen çok ayıp olacak.*

-Biliyorsun senin için canımı veririm...

Altyazı: *Hazırlıklı ol, avucunu yalayacaksın.*

-Ama şu anda benim durumum da hiç parlak değil. Azıcık bir param vardı, onu da dün vadeliye koydum.

Altyazı: *Üç kuruş param var onu da sana mı vereceğim, yok artık.*

-Ben seni de zor duruma sokmak istemem tabii, Ama zaten banka ne faiz veriyorsa, ben de borcu geri verirken onu öderim.

Altyazı: *Öyle kaldın mı cimri herif, bakalım şimdi ne bahane bulacaksın.*

-Ehh, O zaman tabii, dostluk böyle günlerde belli olur, yarın göndereyim sana parayı.

Altyazı: *Allah kahretsin, birkaç gün savsaklarım herhalde, sonra da telefonlara çıkmam.*

-Abicim, zahmet etme, ben akşam üstü uğrar alırım.

Altyazı: *Alnımızda enayi yazmıyor, işi şansa bırakmayız, kendimiz gelir, söke söke alırız.*

-Nasıl istersen canım kardeşim.

Altyazı: *Pis herif.*

-Şimdiden sağ ol varol canım.

Altyazı: *Ne uğraştırdı cimri köpek, vereceği üç kuruş.*

İyi ki hayat böyle değil. İyi ki insanlar tam olarak ne düşündüklerini söylemiyorlar.

VESTİYER NEDİR Kİ?

Günlük hayatta birtakım uyanıklar tarafından sürekli söğüşleniyoruz.

Birçok örnek var.

Mesela vestiyer denen olay.

Bir restorana gidersiniz. Bir adam sizin paltonuzu alır, asar, çıkarken de geri verir. Siz de ona mecburen para verirsiniz.

Şimdi ben buna tam olarak niye para veriyorum, biri anlatabilir mi acaba?

Yani yemeği yedim, parasını verdim anladık. Çünkü yemekleri birileri pişiriyor, birileri getiriyor.

Ama paltomu kendim asabilirim!

Asabildiğim gibi, geri de alıp giyebilirim. Yani zaten, her gün evde yaşadığım bir şey, ne gibi bir hata yapabilirim ki?

Vestiyer olayı ilginç. Diyelim ki vestiyere eleman alınacak. Nasıl bir beceri aranıyordur ki?

"Palto asabilir misin?"

"Hem de çok iyi!"

"Hmm. Peki askıdan geri alabilir misin?"

"Şimdi açık söyleyeyim, o konuda o kadar iddialı değilim. Ama asma bölümünde, benden iyisi yoktur!"

Bir sürü böyle yer var, çaktırmadan kazıklandığımız.

Çamaşır yumuşatıcılar mesela. Kardeşim çamaşırı sertleştiren deterjan değil mi? Onu da siz yapmıyor musunuz? Eee?

Bir de, bambaşka bir örnek vermek istiyorum.

Kiralık ev tutarken "hava parası" diye bir şey vardır.

Yani depozito değil, peşinat değil, hava parası.

İşte adam kazıklayacaksan, böyle açık açık yapacaksın. Dalganı geçeceksin. Katakulli yapmadan, göz göre göre...

Uyanıklık böyle olur.

İşine gelirse.

LOTODAN PARA ÇIKSA, MESELA...

Lotodan para çıksa ve zengin olsanız, loto yüzünden para kazandığınızı söyler miydiniz?

Ben söylemezdim.

Çünkü çok aptalca. Diyelim ki sordular:

"Ne kadar güzel bir ev, ne müthiş bir sanat koleksiyonunuz var üstat. Söyleyin bakalım, bu genç yaşta nereden kazandınız bu paraları?"

Ben şöyle derdim: "Boş bir zamanımda bir bilgisayar yazılımı hazırladım, kendim eğlenmek için. Sonra onu sağ olsunlar Amerikalılar beğenip satın aldı... İşte bu yani."

Veya:

"Matrix filmini biliyorsunuz. Hah. Senaryosunu ben şeyaptım. İyi para veriyorlar valla Hollywood'da. Öyle oldu."

Yoksa "Bilet aldım, loto çıktı, şansa bak abi!" iğrenç!

Loto moto gibi şeylerden servet kazanan insanların en büyük şikâyeti, daha önceden var olduğunu bilmedikleri, sahte akrabaların ortaya çıkmasıdır.

Bu nasıl oluyor ben anlamıyorum. Yani aksi bu kadar kolay ispatlanacak bir şeyi, hangi salak şarlatan deneyebilir ki?

"Merhaba, lotoyu kazanmışsın, duyduk çok sevindik. Bizim de elimiz biraz sıkışmıştı. Ben teyzenin oğluyum!"

"Benim teyzem yok ki kardeşim."

"Ya... Eee... Var, var. Ama sen bilmiyorsun!"

Nasıl yutturacaksın ki böyle bir şeyi?

Tut ki, şarlatan olarak, görümce, elti, kayınbirader gibi daha karışık akrabalık ilişkilerine güvenip, işin içinden uzun denklemlerle çıkmaya çalıştın:

"Hayati, tebrikler, lotoyu kazanmışsın. Sen beni hatırlamazsın. Ben senin teyzenin, oğlunun, babasının, kayınçosuyum. Ya."

"Teyzemin oğlunun babasının kayınçosu... Babam oluyorsunuz yani!"

Piyango, loto falan kazanmak aslında kolaydır, zengin olmak zordur!

KRİZ BİZİ BİTİRDİ!

Kriz bizi çok değiştirdi.

Gazoz şişesi depozitosu, bozuk para, indirim kuponu gibi, eskiden oraya buraya attığımız şeylere saygı göstermek gerektiğini öğrendik.

Öğle paydosunda, kebap yerine simit yer olduk.

Tatiller, Bodrum yerine balkonda geçmeye başladı.

İlkokuldan sonra ilk defa, hangi sebzenin hangi mevsimde yetiştiğini öğrenmek zorunda kaldık. O mevsimde ucuz oluyor diye.

"Aaa, ne abuk fiyatlar canım, deli bunlar, deli ayol!" gibi söylenmelerin yaş sınırı 64'ten 16'ya indi!

Savaş görmüş bir nesil gibi, her şeyde pazarlık etmeye, hiçbir şeyi atmamamaya başladık.

Torunlar bize o kadar sinir olacak ki!

Aslında çok da sinir olmayabilirler.

Çünkü onlar büyüdüğünde, ülke hâlâ borçlu olacak. Bizi anlayacaklardır!

Gördüğünüz gibi sadece eğlence programı değil, mesaj da veriliyor. Hem güldürüyor hem düşündürüyoruz yani.

Kolay mı?

DOSTLAR ALIŞVERİŞTE GÖRSÜN.
(EĞER HAVALI BİR MAĞAZAYSA TABİİ!)

Christmas in Tahtakale!

İnternetten hızlı çalışan tek yayın organı olan fısıltı gazetesi "Tahtakale'deki çeşit bolluğu" lehine öyle bir işlemiş ki, Etiler-Nişantaşı-Boğaz üçgeninin "beyaz halkı" toptan burada. Tek problem, tanıdıklarla burun buruna gelme tehlikesi. Bu arada "sosyete" Tahtakale'ye uyunca, Tahtakale de sosyeteye uymuş.

Arkadaşları, renkli bir kedi merdivenini burnuna doğru sallayıp gülüyorlar: **"Davut, oolum bah bunu da tah, bunu da!"**

Davut'un üzerinde kırmızı pantolon, beyaz manşetli kırmızı Noel Baba gömleği, kafasında kukuleta.

Dükkânın önündeki kaldırıma oturmuş.

Oturmak değil de Türk usulü "çömmüş". Takma sakalını çenesinin altına indirmiş, dirsekleri dizlerinin üstünde, sigara içiyor.

Yer: Tahtakale.

Davut da yeryüzünün en bezgin Noel Baba'sı.

Kedi merdivenini görmezlikten gelip, uzaklara bakar gibi yapıp "Cık" yapıyor. Arkadaşlar bıyık altı gülümseyişlerle, ısrarlı:

"Niye oolum, yahışır!"

Davut, Amerika'da, takma göbekler, yüzlerinde makyaj, ellerinde kocaman çanlarla, alışveriş merkezlerinde saati 20 dolardan çalışan, "Ho ho ho" diye bağırıp, çocuklarla ilgilenen tiyatro öğrencisi Noel Baba'lara benzemiyor.

Bir kere kavruk, dudaklarının kenarında hep bir sigara var ve arkadaşlarının nezdinde karizmayı darmadağan ettiği için sinirli!

Ancak Noel Baba'nın vatanının, Davut'un memleketine daha yakın bir bölgede olması, onu daha otantik bir Noel Baba yapmaz mı diye de düşünüyorum...

Ayol sosyete burada!

Geçen yıllardaki Nişantaşı-Akmerkez yılbaşı kalabalığı Tahtakale'ye taşınmış. Sudan ucuz çamlar, yılbaşı süsleri, paket kâğıtları, kapanın elinde kalıyor.

İnternetten hızlı çalışan tek yayın organı olan fısıltı gazetesi öyle bir işlemiş ki, Etiler-Nişantaşı-Boğaz üçgeninin "beyaz halkı" burada.

Kalabalıkta birilerini ezerken, ellerini kollarını doldururken, "Fiş almazsam ne kadar?" derken ve Tahtakale'de olmanın rahatlığıyla en bakımsız durumdayken tanıdıklara yakalananların hali görmeye değer. Elizabeth Kubler Ross'un *"Ölüm ve Ölmek Üzerine"* kitabında bahsedilen, öleceğini öğrenen insanların sırasıyla verdiği 5 psikolojik tepki gibi:

Reddetmek: "Yok canım onlar değildir!"

Kızgınlık: "Tam sırasıydı ha karşılaşmanın!"

Pazarlık: "Şöyle uzaktan el sallayıp geçsem?"

Depresyon: "Şu halimize bak. Kriz yüzünden kepaze oluyoruz!"

Kabullenme: "Aman, ne olacak, gördü beni zaten, gidip konuşayım bari."

-Aah, görmedim kalabalıktan.

-Yaa, ben de ilk defa geldim zaten, çok anlattılar da, meraktan şeyettim.

-Ben daha da ilk defa geldim hatta. Tahtakale nerede bilmezdim bile!

-Ben en ilk defa geldim, bütün ömrüm boyunca!

Sonra bir sır kardeşliği:

-Ayol Akmerkez'deki çamlar burada 5 milyon!

-Sorma. Bak ben neler buldum...

"Sosyete" Tahtakale'ye uyunca, Tahtakale de sosyeteye uymuş.

Davut ve arkadaşlarının, tezgâhtarlık-hamallık-kasiyerlik, dükkân temizliği ve çay getirme işlerinin üzerine, bir de metazori Noel Baba sorumluluğu binmesinin sebebi bu.

Dolayısıyla otantik Noel Baba'lar Tahtakale'nin yeni müşterilerine gıcıklar!

Bu yeşil-kırmızı, çam ağaçlı, "Merry Christmas"lı, karnına basınca Jingle Bells'ı söyleyen oyuncaklarla dolu ve her yılkinden daha hareketli "Tahtakale yeni yılı"na uyum sağlamış, mutlu Tahtakaleliler de var.

Ben kucakladığım yılbaşı süslerinin parasını ödemek için kuyrukta beklerken, mağazadaki kalabalığı zevkle seyreden dükkân sahibi amca hem çayını içiyor hem mırıldanıyor: **"Çıngıl bels, çıngıl bels, çıngıl çıngıl bels!"**

Bir kelimesini bile uydurmuyorum!

Tahtakale Christması'nı görmeye değer!

Kahve bahane, çarşı şahane!

Sıcaktan ölenler, Kapalıçarşı'ya koşsun! Hem se-

rin hem de herkes sizinle akraba olduğunu iddia ederek samimiyet kuracak. Güzel bir ortam ama, bir alışverişi, iki Türk kahvesini abartmayın!

Sizi çok iyi anlıyorum!

Bu şehirde, yani İstanbul'da yazlar tabiatıyla sıcak ve kurak geçiyor. Geceler iyi de, gündüzler cehennem.

Sokaklar sıcak, bunaltıcı, tozlu...

Vakit geçmiyor. Evler basıyor, ofisler daraltıyor.

Haydi diyelim, işi kırdınız, attınız kendinizi dışarı... Şık kıyafetleri, havalı butikleriyle Nişantaşı bile çekilmiyor.

Size tek kelime söyleyeceğim: Kapalıçarşı!

Ölüyorum, yelpaze getirin!

Oturmuşuz Nişantaşı'nın o havalı kafelerinden birine.

Yanımda Sex and the City kızlarından, yani çok gezen, çok şık giyinen, çok bakımlı bekâr arkadaşlarımdan biri.

Güya bahçedeyiz, güya tepemizde pervaneler dönüyor, güya kırılmış buz dolu bardaklarımızdan, teorik olarak serinletici, soğuk çay içiyoruz.

Ne yazar... Perişanız.

Utanmasak Bülent Ersoy gibi çantamızda yelpazeyle dolaşacak, ikide bir çıkarıp rüzgârlanacak, klimalı mekânlara girdiğimizde "Allah-ü tealaya hamd-ü senalar olsun!" falan diyeceğiz.

Sohbetlerde repliklerin arası açık. Sıcaktan mütevelit, sorularla cevaplar arasında uzun esler var.

Dınnnn!

Durumdan vazife çıkardım.

Ertesi gün soluğu, bence Ortadoğu ve Avrupa'nın en müthiş alışveriş merkezinde aldık.

"Soluğu aldık" derken, sözlük anlamında. Çarşı'ya girer girmez Kuzey Kutbu'na gelmiş gibi olduk ve hemen bütün günü burada geçirmeye karar verdik.

Cennet'in doğusu burasıymış!

Bahanemiz de hazır: Hesaplı, antika takı bakacağız..

En son ne zaman gittiniz bilmiyorum.

Ama Kapalıçarşı'da şahane bir geleneksel alışveriş şekli var ki hiç değişmemiş. **Sıcak bir karşılama, bütün malların zevk için bile olsa gösterildiği bir şov, süper eğlenceli pazarlıklar, çay kahve, hizmette zaten sınır yok...**

Büyük modern alışveriş merkezlerindeki çağdaş sistem eksiksiz ve hatta fazlasıyla burada var. Kredi kartı, her türlü döviz, hatta neredeyse takas kabul edecekler!

Buna karşılık, alışverişin insani tarafları ve 1.sınıf "geyik" hiç değişmemiş.

-Eski, antika takı var mı?

-Oooo, buyruun, buyruun. Bakın, çarşının en iyi gümüşçüsü biziz.

-Çok iyi, bravo. Eski, antika takı var mı?

-Allah aşkına size şu mercanları gösterelim, çıkar evladım!

-Mercan istemem. Eski, antika takı var mı?

-Türk kahvesi içeriz değil mi? Nasıl olsun?

-Eski ant... Türk kahvesi mi? Ee... Çok şekerli!

Burada belirtmem gereken şu: Benim Türk kahvesiyle ilgili, zaaf sınırlarını aşmış, maraz haline gelmiş bir durumum var.

Reddedemiyorum.

Türk kahvesi servisi yapmayan bütün restoranlarda ciddi tatsızlıklar çıkarıyorum.

Bu açıdan, Kapalıçarşı benim için bir rüya!

Hanımefendiler yakın akrabam!

Her dükkânda racon şu: Kahve çayın hemen ardından, eğer orada bir şey beğenmediyseniz, tesadüfen girdiğiniz dükkânın sahibi, sizi alıp, istediklerinize yakın bir şeyleri satan ahbap dükkâna götürüyor.

İçeri giriyorsunuz:

- Ooooo, buyrun, buyruuuun.

-Hanımefendiler benim yakın akrabam! Gereken ilgiyi göster ağabey, indirim felan. Yabancı değiller.

Ve yine aynı hikâye.

Türk kahvesi, şov, başka dükkâna götürülüp akraba süsü verilerek, daha doğrusu "Akrabam, yani iyi insanlar, bakıcı değil alıcılar, bu kıyağımı unutma" koduyla tanıştırılma...

Kapalıçarşı, bence İstanbul'un en renkli, en çok çeşitli ve en hesaplı alışveriş merkezi. Yok yok.

En son ne zaman gittiniz bilmiyorum ama, dericilerde yapılan modelleri, eski takıları, ev aksesuarlarını görünce insanın aklı duruyor. Bahçe ve balkon için bir sürü eşya, pareo olarak kullanılabilecek peştemallar (biz öyle yapacağız!), mercanlar, turkuazlar tam bu yaz için.

Nobel ödüllü yazar Necip Mahfuz'un bir romanına da ismini vermiş *Han El Halili Çarşısı*, Kahire'de muhakkak ziyaret edilmesi gereken yerlerdendir. Egzotik, zengin, büyük ve Ortadoğu' nun alışveriş cenneti diye anılır.

Kahire'ye gittiğimde büyük hayal kırıklığına uğradım, çünkü Han El Halili, Kapalıçarşı'nın beşte biri, belki onda biri büyüklüğünde, karşılaştırınca sınırlı, yavan bir çarşı olarak çıktı karşıma.

İnanın bu dünyaca ünlü Han El Halili'deki her şey ve fazlası, daha çok çeşitle Kapalıçarşı'da var.

Onlarca dükkân dolaşıp, özellikle Bedesten'e bir kez daha hayran kalıp, kendimize "akrabalardan" oluşan bir çevre yaptık!

Günün sonunda Sex in the City arkadaşım, *Abdulla*'da güllü, defneli doğal sabunların arasında kendini kaybetmişken, ben de çarşının havalı kahvesi Fez'de oturup (evet, inanılacak gibi değil ama) bir Türk kahvesi daha içtim... Etrafta sadece turistler vardı, ve biz, sanki günü birlik başka bir ülkeye gitmiştik...

Kapalıçarşı'dan, akşam üstü hâlâ serinlememiş bunaltıcı havaya çıkarken, artık kafein yüzünden tiklerim vardı!

Kahveyi biraz azaltacağım, ama Kapalıçarşı'ya ayda bir gitmeyi düşünüyorum.

Size de şiddetle tavsiye ederim.

Bu metropolde, bu manzarayı, özellikle bu havalarda, atlamayın...

KADINLAR VE AYAKKABILARI

Erkekler ne der?

Çirkin kadın yoktur, az içki vardır.

Kadınlar ne der?

Mutsuzluk diye bir şey yoktur, az ayakkabı vardır..

Erkeklerin futbol için hissettiklerini, kadınlar, alışveriş, daha çok da ayakkabı alışverişi için fanatikçe yaşarlar.

Çok fazla ayakkabı sahibi olmak, yenisini almamak için bir bahane sayılamaz!

Kadınların bir başka özelliği de, ayakkabı modelleri arasındaki milimetrik nüansları, ayakkabıyı yapan ustadan daha iyi fark etmeleridir.

Bize göre hiçbir ayakkabı birbirinin aynı değildir ve küçücük detaylar, ayakkabıya karşı hissetiklerimizde bizi uç noktalara götürebilir.

-Şekerim bak, süper bir ayakkabı aldım.

-Hayatım, bunun aynısını sen geçen sene almamış mıydın?

-Ne? Ne? Nasıl aynısı? Ne diyorsun sen?

Bu en büyük hakarettir!

-İşte böyle hayatım, bunun gibi topuklu, bej, bilekten bağlı.
-Onun bantları var, öööö iğrenç. Bu ipli. Süper, süper.
Bu konuda çok spesifik olabiliriz.
Bantlı iğrenç, ipli süperdir. Ucu küt iğrenç, ucu sivri süperdir.
Hayat boyu bana minnettar kalmanıza yol açacak bir tavsiye vereyim:
Kadınlarla ayakkabıları arasına girmeyin!

KEKİK SUYU GELDİ, YAŞADINIZ!

Özellikle son günlerde iyice gözüme batmaya başladı.

Mahalle bakkallarında camlara çok tuhaf kâğıtlar asıyorlar.
Mesela: "Kekik suyu geldi", "Çörekotu bulunur".
Şimdi, normalde büyük süpermarketlerde bile bulunmayacak bu garip ürünler, neden sanki dev bir talep varmış gibi cama asılarak duyuruluyor?
Yani "Süper beyaz peynir var", "Ucuz deterjan getirdik" falan olsa tamam.
Ama aynı mahalleden yüzlerce kişinin aynı anda kekik suyuna ihtiyaç duyup, bakkalından ısrarla isteyip, bakkalın da malı aldıktan sonra "Yazayım da on binler dükkâna akın etsin" diye "Kekik suyu geldi" ilanı asması size de biraz garip gelmiyor mu?
Mahalleli öyle mi toplanmış?
"Bu mahalle kekik suyu mahallesi, yukarısı bira mayacıları, deniz tarafı çiçek poleni bağımlıları..."
Böyle bir şey mi var?
Bence kahraman bakkal süpermarkete karşı döneminde, artık bakkallar daha aktivist.
Bizim bilmediğimiz gizli bir örgüt kurmuşlar, bu yazılar da onların haberleşme kodları.
Birbirlerini sokakta görüyorlar, fısır fısır, gizemli bir konuşma:
-Kekik suyu geldi abi, anlatabildim mi?
-Hmmm. Anladım. Peki. O zaman, söyle bütün arkadaşlara, çiçek poleni bulunur!

Eğer böyle bir durum varsa bakkalları destekliyorum. Çünkü imaj hiçbir şeydir, veresiye yoğurt ekmek her şeydir!

BİLİNÇLİ TÜKETİCİ!

Hepimiz bilinçli tüketici olmaya çalışıyoruz ya. Kazıklanmayacağız, paramızla alınabilecek en iyisini alacağız.

Bu amaçla hayatımızın en gerzek durumlarına düşüyoruz bazen.

Marketlerde sebze meyve seçenlere dikkat edin. Herkes kavun karpuzu şöyle bir atıp tutup tok toklar.

Niye?

Siz biliyor musunuz niye öyle yapıldığını?

Tok tok diye bir ses çıkınca iyi de, tak tak diye çıkarsa bozuk karpuz mu? Bence çoğu insan tam olarak bilmiyor ama âdettendir diye elliyoruz.

Aynı şekilde, mesela beyaz eşyalar. İyi olup olmadığını inceleyerek nasıl anlayacaksın ki? Motorunu göremiyorsun, görsen de bir şey anlaman mümkün değil.

Geriye tek seçenek kalıyor, kapağını açıp kapatmak.

Buzdolabı, bulaşık makinesi, mikrodalga fırın, hepsi bu kapak açıp kapatmanın kurbanıdır. Alışveriş sırasında, eşyaların kapağı üç beş defa açılır, kapatılır. Sanki o paraya değip değmediği bu şekilde anlaşılır.

Onun için ben beyaz eşyacı olsam şunu yapardım. Özel programları, sağlamlığı falan boş ver.

Ama kapak süper olsun! Açılırken, uzay gemilerinin içindeki kapılar gibi "trınktşşş" diye bir ses çıkarsın, ışıklar yanıp sönsün, tüketici etkilensin.

Gerisi mühim değil.

PARTİLER, DAVETLER, İNSANLAR, DOSTLUKLAR VE ALLAHIN BELASI SOSYAL HAYAT!

Sosyetik davetlerin püf noktaları!

Lütfen dev diskoteklerin giriş kapılarıyla ve bayii toplantılarıyla karıştırmayınız! Sergi açılışlarından, defilelerden, ünlü şirketlerin yıldönümlerinden ve Çırağan'daki düğünlerin bir kısmından bahsediyorum. Dikkatle okuyunuz! Uzman falan olduğumdan değil, gözlemim iyi, o açıdan.

Elbette burada gerçek anlamıyla bir sosyetiklikten bahsediyoruz.

Yoksa geçen gün, bizim evde çalışan Ayşe Hanım anlatıyor: **"Yook, yok, Gülse Hanım, bu kapıcının karısı turşu bile yapmaz, sosyetik o!"** diye. Bu tür bir sosyetiklik değil yani.

Benim de bir davetten ötekine, sosyal bir kelebek edasıyla gezdiğim falan yok tabii de, gazeteci dediğin gözlem yapar. Bu sebeple şu anda oturmuş benim yazımı okuyorsunuz, yoksa ben sizinkini okurdum, değil mi efendim? Zaten bu partilerden birkaçına gitmek, hepsine gitmek demektir.

Uzattım, ucu kaçıyor...

Bakınız, üç bölüme de ayırdım, bir karışıklık olmasın diye.

Giriş

Bir kere geç gidin!

Amerikalılar "fashionably late" derler. Yani havalı ve moda şekilde gecikmek. Sizin meşgul ve önemli bir insan olduğunuz, bu davete de çok ısrar ettikleri için "lütfen" katıldığınız anlamına gelir.

Çıkarken de çok geç kalmayın. Çılgın eğlence gecelerinizi daha samimi ortamlara saklarsınız.

Davet mekânına giriş çok önemli. Diyelim ki üstünüz başınız, ayakkabınız, çantanız tamam. Ama davete pısırık pısırık girdiniz. Olmaaaaz. Her şeyin bir raconu var.

Öncelikle önünüzdeki grup sizden daha tanınmışsa, biraz bekleyin. Onların rüzgârında kalmayın. Ayrıca muhtemelen onlar içeri girdiklerinde biraz durup, çanta karıştırır gibi yapıp, etrafa bakıyor gibi yapıp, cemiyet fotoğrafçılarına poz vereceklerdir. **Bu esnada yol tıkanacağından, tanınmış grup veya çiftin arkasında kek gibi beklemek, size baştan kaybettirir!**

İçeri girdiğinizde, bir sürü insan, kim gelmiş diye kafasını çevirip bakacaktır. Bu noktada yapacağınız en akıllıca iş, eğer kimseyi tanımıyorsanız da, uzakta gördüğünüz hayali bir arkadaşa el sallamak ve hızlı adımlarla oraya doğru yürümektir.

Sakın serseri mayın gibi etrafta dolaşmayın veya insanları seyrederek bir noktada durmayın. Bu, yapabileceğiniz en büyük hatadır. Oraya eş dost ahbap görmeye veya sosyal mecburiyetler yüzünden değil, ünlüleri seyretmeye geldiğiniz hemen anlaşılır.

Yok eğer hafif sosyetik ve ünlüyseniz, o zaman cemiyet fotoğrafçılarının karşısında uygulanacak en iyi strateji şudur: **Uzakta bir noktaya bakıp gülümseyin.** Hem iyi çıkarsınız hem de objektife bakarak poz vermediğiniz için "cool"luğunuz bozulmaz, **"N'apalım işte, çocuklar çekiyor"** gibi bir durum olur.

Bazı cemiyet muhabirleri daha da ısrarcıdır, illa ki demeç almak isterler. Ne var ki, çoğunlukla sorular o anda akıllarına gelir ve **"Eaa, defile başlamadı ama, sizce giysiler nasıl olacak?"** gibi zekâ örnekleriyle karşılaşmanız olasıdır.

Hiç bozmayın.

"Yıldırım Bey her zaman çok güzel şeyler yapar," diye başlayın ve ne anlatmak istiyorsanız anlatın: **Firma reklamı, kişisel bilgiler, kitap tanıtımı, tuttuğunuz takımın propagandası... Mikrofon sizindir!**

Gelişme

Eğer içeride yüksek volümlü müzik varsa yandınız. Sohbet ihtimalini kafanızdan çıkarın. Böyle durumlarda insanlar birbirlerinin söylediklerini tam olarak anlamasalar da mimik, jestler ve dudak okuma yöntemiyle iletişim kurarlar. Alışmak biraz zaman alır ama öğreneceğinizden eminim.

Dikkat etmeniz gereken şey çok derin ve dallı budaklı sohbetlere girmemek ve karşınızdakinde espri yapıyor gibi bir yüz ifadesi gördüğünüzde, espriyi duymasanız da gülmektir.

Ne var? **Siz gerçekten eğlenmeye geldiğinizi mi zannediyordunuz?**

Sergi açılışları ise daha sakindir. Yalnız burada da sohbeti abartmadan, eserler hakkında yuvarlak yorumlar yapın: **"Son günlerde gördüğüm en orijinal işler", "Çok etkilendim, hem estetik, hem şaşırtıcı"** gibi kalıplar hayatınızı kurtaracaktır!

Açık büfelerde itiş kakıştan kaçının, ayıp oluyor! En iyisi, çok aç gitmeyin ve önünde kuyruk olması muhtemel ıstakoz, suşi gibi yiyeceklerden vazgeçin.

Davetlerde insanı zorlayan noktalardan biri de bir elde çanta, bir elde kadeh veya tabak olduğu halde insanların ellerini sıkmaktır. Üçüncü eliniz olmadığı için, omza asılan çantaları tercih edin, selam vermek yerine kadeh tokuşturun ya da samimi olsun olmasın, herkesi yanaklarından öpün! Bu seçim o ana kadar aldığınız alkol miktarına bağlı!

Böyle davetlerde, birlikte durup sohbet ettiğiniz insanlar da mühimdir ve davetin geri kalanındaki prestijinizi belirler. **Eğer 1'den 10'a bir değer vermek gerekirse, bir manken size 2, ama mesela Cem-Ümit Boyner çifti 9 puan civarı kazandıracaktır.** (10 puanı Clinton, Cameron Diaz gibi yabancı ünlülere saklıyoruz.)

Yalnız, dikkat! Zaman zaman çok popüler davetlilerin etrafında **"şöhret halkaları"** oluşur. Bir tür **"sosyete groupie"**liği de diyebiliriz. **Ortada üç beş kişilik havalı ve ünlü grup, etrafta onları uzaktan tanıyan veya sohbete katılmaya çalışan tereddütlü gülümsemeleriyle "dahil olma" çabasında on kişi!**

Bu gruplardan, vebadan kaçar gibi kaçın ve kendi halkanızı oluşturmayı deneyin! Olmadı, bir köşede, marjinal "yalnız kovboy" veya kovboyları oynayın.

Böylece davete nezaketen katıldığınız, aslında şu anda Tibet'te bir manastırda veya New York'ta bir şiir okuma seansında olmayı tercih ettiğiniz düşünülür ki, bu groupie olmaktan daha iyi bir ihtimaldir.

Sonuç

Sosyetik davetler işinizin, hayat tarzınızın veya insanlarla tanışma şeklinizin bir parçasıysa devam edin.

"Hiçbiri değil, ama ünlü görmek istiyorum" diyorsanız da bu fırsatları kaçırmayın. **Ama gerçekten iyi vakit geçirmek istiyorsanız tavsiyem şudur:**

Güzel yemek, arkasından iyi bir filmi geride bırakacak havalı davet henüz organize edilmedi! Bana inanın...

SOSYAL MÜŞKÜLAT

Hayatta, asla içinde olmak istemeyeceğiniz sosyal durumlardan bahsetmek istiyorum. Bilmem son zamanlarda başınıza geldi mi?

• Birinin elini sıkacakken, şu veya bu sebepten, elin havada kalması.

• Sarhoş bir arkadaşla birlikteyken, resmi tanıdıklarla karşılaşıp, sarhoşu tanıştırma mecburiyeti.

• Sevmediğiniz hediyeyi dükkânda değiştirmeye çalışırken, hediyeyi alana yakalanma.

• Birini davet ettiğiniz yemekte, hakikaten para almayı unuttuğunuzu görüp, beleşçi duruma düşme.

• Ve, bir klasik olan, birini birine tanıştırırken, ikisinden birinin veya daha kötüsü, her ikisinin de, ismini unutma, ki bana olmadı değil.

Biz, şehirlerde, insanların arasında, gruplar halinde yaşayarak, hayatı kolaylaştırdığımızı zannediyoruz, palavra.

GÜLÜMSEYİN, ÇEKİYORUM

Zordur fotoğraf çekilirken poz vermek.

Genellikle bu esnadaki utanç ve gerginlik, insanı aksi yapar.

"Çekiyoruuum!" duyulduğunda, "Ee hadi çek!" "Yeter artık, kaç tane çekeceksin?" gibi fırçalar atılır.

Zordur objektife bakıp doğal gülümsemek.

Bir de herkes, herhalde fotoğrafın çekilme anını takip eden tuhaf sessizliği doldurmak için, fotoğraf çekildikten sonra, çok merak ediliyormuş gibi, kendi performansını özetler:

"Ay, gözümü kapattım."

"Aaa, somurtuk çıktım."

"Ahhay, konuşurken çektin, sesli çıkacak, aha ahah aha!"
Kime ne?
Herkes nasıl olsa o fotoğrafta sadece kendine bakacaktır!

DOSTLUK YALANLARI

Size en yaygın dostluk yalanlarını açıklıyorum, karşılaştığınızda beni hatırlayın diye:

"Gel ama sıkılırsın."

"Kesin görüşelim, özledim."

"Dur yanımda kâğıt yok, ben seni ararım."

"Aradım ama cebin kapalıydı."

Ve daha klasik örneklerden:

"Düğününüz o kadar güzeldi ki."

"Ayyy, gördüğüm en şirin bebek, Allah bağışlasın."

"Ayol, ben bu böreği böyle lezzetli yapamıyorum işte."

Ve sizi daha fazla üzmemek için söylemeyeceğim birçok örnek.

Herkese güvenmeyin, hayatı öğrenin.

GÜLSE KURALLARI

Hayatın yazılı olmayan kurallarına lütfen saygı gösterelim.

• Yeni araba aldıysanız, muhtemelen bir iki gün içinde biri çarpıp boyayı bozacaktır.

• En çok beğendiğiniz elbisenin size uygun bedeni muhakkak kalmamıştır.

• Bir işin bitmesi için ek süre istemek hiçbir şey fark ettirmez, çünkü her şey gecikip yine son güne kalacaktır.

• Tatiller, düğünler ve yılbaşı geceleri asla hayal edildiği gibi geçmez.

• Hiç kimsenin evinde yeteri kadar dolap yoktur.

• Aşk, her zaman biter, o rejimle kilo verseniz bile geri alırsınız; ve sigara da bırakılmaz, sadece ara verilir.

• Eğer bu kurallara hazırlıklıysanız, mutlu olacağınız kesindir.

GERÇEK DOSTLUK!

Sizin de başınıza benzer şeyler gelmiştir muhakkak:

"Ya senden bir iyilik isteyeceğim. Beni kırmayacağını biliyorum. Bak Gülfe, sen benim çok yakın arkadaşımsın!"

Hayır, değilim; iyilik miyilik de isteme. Çünkü adım Gülfe değil, Gülse!

Arkadaşlık göreceli bir kavramdır.

Çoğu zaman ahbaplıkla, hatta bir kere bir yerde tanışmış olmakla karıştırılır.

Lütfen kuralları doğru koyalım: Eğer tanıdığınız kişinin doğru ismini ve soyadını, ne iş yaptığını, medeni durumunu, nerede oturduğunu ve cep telefonunu bilmiyorsanız, o sizin arkadaşınız değil, tanıdığınızdır.

"Kankayız", "yakınımdır" ve "o benim canım ciğerim", arkadaşlık kelimesinin içini bu kadar boşalttığımız için icat etmek zorunda kaldığımız şeylerdir!

Özellikle mail arkadaşlığı, ve chat yapmak "arkadaşlık" kavramını darmaduman etmiştir. Ben İstanbul'dan "kozmikcimbom" ve Adana'dan "elvis78"in, birbirlerine bu isimlerle hitap ederek, internet üzerinden yaptıkları, playstation konulu sohbetlere, arkadaşlık adı verilmesini reddediyorum!

GÜLSE KURALLARI-2

Havaalanına gideceksiniz ve geç kalmışsınız.

Sırasıyla şunlar olur: Taksi bulamazsınız, trafik tıkanır, bavulunuzun sapı kopar. Kan ter içinde, son dakika, havaalanına vardığınızda, uçağınızda iki saatlik rötar vardır!

Bu ve bunun gibi olayların sebebini biliyorum. Yukarıda birileri bizimle dalga geçiyor. Bir tür kozmik kamera şakası!

Eşofmanın üzerine pardösü giyip, en berbat halinizle köşedeki bakkala gidersiniz ve hayatınızda kendinizi en çok beğendirmek istediğiniz insanla burun buruna gelirsiniz!

Kırk yılda bir işi kırıp alışverişe çıkarsınız ve o gün muhakkak patronunuza rastlarsınız.

Yemeğe misafir çağırdığınız gün, hem elektrik hem su kesilir.

Açık hava düğününüzde yağmur yağar, hayatınızın en önemli partisinden bir gün önce grip olursunuz!

Zam isteyeceğiniz gün, uyuyakalıp toplantıya gecikirsiniz; aylardır beklediğiniz maç başlamadan dört dakika önce yayın kesilir.

Hayat böyledir.

DANS, MÜZİK, GECE HAYATI, EĞLENCE...

Yıllar önce, bir yaz gecesi...

O gece, içimizden biri âşık oldu, bir çift kavga etti, birimiz hayatının içkisini içerek midesini bozdu, acid-jazz'ın yeryüzündeki en iyi müzik türü olduğuna topluca karar verdik, dünyayı tekneyle dolaşan 60 yaşlarında bir Fransız çiftle tanıştık ve biz, 20'li yaşların başında olduğumuz o gece, çok eğlendik.

Yakın bir arkadaşım bir yerlerden bulup çıkarıp, eski bir fotoğrafımızı e-mail'le göndermiş.

Üç kız bir erkek, bir Bodrum akşamı, kaldığımız otelin terasında, gevezeliğe öyle bir dalmışız ki, fotoğrafın çekildiğinin farkında değiliz.

Hiçbirimiz objektife bakmıyoruz.

Ama ağzımız kulaklarımızda.

Arkadaşımın üzerinde rüküş, dore bir elbise! Bende iğrenç bir fosforlu yeşil bluz! 90'li yılların başı. Herhalde 'Ne güzel yandık, bu parlak kıyafetler de çok yakıştı, harika olduk!' diye düşünüyorduk!

Ellerimizde de, içinde ne olduğunu çözemediğimiz kırmızı sıvıyla dolu martini bardakları var.

Miami'nin en fakir ama özenti mahallesinde bir parti mi? Hanedan dizisinin küçük bütçeli bir taklidi mi? Belli değil.

Aslında, tatil köylerinin, "İyi vakit geçiren Alman turistler" katalog fotoğraflarına da benziyor.

"30 yaşında olmak, rezil olmaktan iyidir! Şu halimize bakın!" diye yazmış arkadaşım. "Bangladeş Vogue'undan bir fotoğraf" diye de not düşmüş!

Birbirimize gönderdiğimiz e-mail'lerle, o kıyafetlerin sebebini çözmeye çalışırken, o gece de berraklaşmaya başladı.

Biz o gün tekne kiralayıp haddinden fazla yanmıştık. (Bu bölüm resimlerde de açık ve seçik görünüyor!)

Biz o gün, akşam üstü, Bodrum'a inip sahilde kızarmış patates yemiştik. Hatta güneş çok güzel batıyordu, ama patatesler berbattı!

O gece, aslında barmene kendi yaptırdığımız, vişne sulu bir kokteyl içiyorduk ve hava çok sıcaktı.

Terasın manzarası harikaydı, ve 'Acaba bu gece otelde mi otursak?' diye düşünmüştük.

Hayatı yaşa!

Ama o fotoğraf çekildikten az sonra, sekiz-on kişi, hep birlikte dışarı çıktık, gezdik tozduk, gülme krizleri geçirdik, dans ettik...

O gece, içimizden biri âşık oldu, bir çift kavga etti, birimiz hayatının içkisini içerek midesini bozdu, acid-jazz'ın yeryüzündeki en iyi müzik türü olduğuna topluca karar verdik, dünyayı tekneyle dolaşan 60 yaşlarında bir Fransız çiftle tanıştık, ve biz, 20'li yaşların başında olduğumuz o gece, **çok eğlendik.**

O kâbus giysilerin içinde çok mutluyduk!

Belki de hayatımızın en güzel gecelerinden biriydi.

Akmerkez Beymen'de çok ilginç bulduğum bir sergi başladı. 71'den 81'e Beymen...

Beymen'in eski müşterileri, dükkândan o yıllarda aldıkları ve hâlâ sakladıkları giysileri armağan etmişler sergiye. Anılarıyla, hikâyeleriyle birlikte.

Giysilerle bellek arasında, kokularla olduğu kadar olmasa da, güçlü bir bağ olduğunu düşünürdüm hep.

Sadece gelinlikler midir önemli olan ve saklamaya değen?

Ya çocukken alınan bayramlık elbise, âşık olduğunuz gün giydiğiniz kırmızı tişört, seçerken bunalım geçirdiğiniz mezuniyet tuvaleti, ilk kravat, hayatınızın işine başvururken üzerinizde olan siyah takım?

Hatta, 23 yaşındayken, hayatınızın en güzel gecelerinden birinde, Bodrum'da giydiğiniz ve içinde kendinizi herkesten güzel hissettiginiz, çirkin, fosforlu yeşil bir bluz?

O daha mı önemsiz?

Asıl amaç, her iyi günü, bütün detaylarıyla paketleyip saklamak galiba...

"Seviyeli Meyhane!"

Şarkı başlıyor ve mesela nakarat bölümü gelince şarkıcı coşuyor: "Unut onu gööönlüüüm, yaz çocum!" Powerpoint bilgisayar programı, tasarlandığı günden beri ilk defa böyle bir amaca hizmet etmek için şaşkınlıkla devreye giriyor...

"Bilmemneli Meyhane" eğlence kültürünün geldiği noktayı (siz de benim gibi bu konunun cahiliyseniz, ve en son peçete/garson ceketi yakma haberlerinde kaldıysanız) ibret-i âlem için, kısa süre önce duyduklarımla aktarmak isterim.

Mekân: **Kimilerinin çılgınca eğlendiği, "neşeli" şarkıcıların sahne aldığı, meyhanelerden biri.**

Şarkıcı seyircilerden istek parça alıyor. Sahnenin arkasında DJ kabinindeki bilgisayara bağlı bir dev ekran var.

Örneğin Mehmet Beyler "İçin için yanıyor" şarkısını mı istiyor? Ekranda hemen "MEHMET BEYLER, İÇİN İÇİN YANIYOR" yazıyor. Böylece, teknoloji sayesinde değerli müşteriler isteklerini peçeteye yazıp gönderme zahmetinden kurtuluyorlar. Peki.

Ama iş bununla kalmıyor.

Şarkı başlıyor ve mesela nakarat bölümü gelince şarkıcı coşuyor: "Unut onu gööönlüüüm, yaz çocum!"

Powerpoint tasarlandığı günden beri ilk defa böyle bir amaca hizmet etmek için şaşkınlıkla devreye giriyor. Ekranda nakarat: "UNUT ONU GÖÖNLÜM".

Derken seyircilerden biri şarkıcıyı sinirlendiriyor: "Ohoo, Yılmaz Morgül bu şarkıyı daha iyi söylüyor!"

Şarkıcı cevap veriyor: "Yilmaz Morgül halt etsin, yaz çocum!" **Powerpoint çalışıyor, dev ekrandan herkes okuyor: "YILMAZ MORGÜL HALT ETSİN!"**

Herkes çılgınlar gibi eğleniyor.

Aynıyla vâki. Hatta ekrandaki son cümle tarafımdan sansürlenmiştir!

Dolayısıyla, anladığım kadarıyla "Bilmemneli Meyhane" ekürisi kendi arasında bir kapalı kulüp oluşturmuş; bu "kültürü" geliştirdikçe geliştiriyorlar. Bir tür yüzük (ya da peçete) kardeşliği.

Sizin bu saatten sonra onların arasına girmeniz söz konusu bile değil...

İÇİYORUZ, BİR ŞEY OLMUYOR!

İçecek reklamlarına sinir olmuyor musunuz?

Söz konusu gazozu, meyve suyunu içer içmez, odaya birdenbire güzel kızlar, yakışıklı çocuklar doluşuyor, bir partiler, bir eğlenceler.

Siz içiyorsunuz...

Eee hiçbir şey yok.

Kanepe aynı kanepe, televizyon aynı televizyon, siz aynı siz.

"Bak yahu, onlar buzlu içiyor, ben de koyiim," deseniz, nafile. Ben denedim, hiçbir şey olmuyor.

Özellikle yaz mevsiminde büyük hayal kırıklığı.

Elâlem dikiyor meyve suyunu, hoop, plajda samba yapmaya başlıyor. Etrafta şahane insanlar, lüks bir hayat, müzik, su kayağı yapanlar, paraşütle atlayanlar...

Sizinki, meyve suyunun sahtesi midir, yerlisi midir nedir, içiyorsunuz içiyorsunuz, aynı kadife kanepe, sıcaktan bacağınıza yapışmış, aynı bunaltıcı ev, sokaktan aynı simitçinin aynı sesi.

İçecek reklamlarını beklentisiz seyredelim, içeceğin tadıyla yetinelim.

DANS PİSTİ

Oldum olası, dans pisti kavramına çok gülerim.

Dans etmek gayet ilkel bir hareket değil mi?

Elini, kolunu, bacağını içinden geldiği gibi sallıyorsun, kendini nasıl hissediyorsan onu ifade ediyorsun.

Bence tarihin belli bir noktasına kadar dans pisti diye bir şey yoktu. Ben Roma İmparatorluğu'nda geçen filmlerde falan görüyorum. Şölenler yapılıyor, insanlar deli deli, sokaklarda, masaların üstlerinde, dağda bayırda dans ediyorlar.

Bence bu arada, bir noktada otoriter bir imparator gelmiş ve işler değişmiş. Etrafta zabıtalar dolaşmaya başlamış: "N'apıyonuz lan? Ne o öyle sokaklarda dans mans? Yok bundan sonra. Her şeyin yeri var, gidin, yerinde dans edin."

Eski Roma'da, insanlar bu cümleyi ilk defa duyunca, herhalde çok şaşırmışlardır: "Her şeyin bir yeri mi var? Aaa, gerçekten mi?!"

Ve bence bu noktada sivri zekâlı biri ortaya çıktı ve dedi ki:

"Dans pisti! Arkadaşlar, buraya bir yuvarlak çiziyorum, bunun içinde dans edin. Dışı yasak, lütfen, burada dans edilecek!"

Bugün hâlâ, insanlar masalarından kalkarlar, ciddi ciddi piste yürürler, girince çılgınca dans etmeye başlarlar. Bu arada pistin dışına taşmamaya özen gösterirler. Dansları bitince de, pistten çıkıp ciddiyetle geri dönerler.

Yani bu parlak fikir sonucunda, insanoğlunun özgür dans hayatı bitmiştir!

ŞIK AKŞAM YEMEKLERİ

Yemek ısmarladınız, geldi, gayet lezzetli görünüyor. Bir baktınız, yemeğin üzerindeki gül domatesin hemen üzerinde bir saç teli! Berbat bir durum...

Bu saç işi aslında çok garip.

Çünkü saç, mesela ayak gibi, insanların birbirlerinde dokunmak istemeyecekleri bir bölge değil.

Sevgililer birbirlerinin saçını okşar, hatta öper, kızlar birbirlerinin saçını örerler, çocukların "evladım ne şeker" diye saçı okşanır...

Ama o saç, diğer arkadaşlarını bırakıp tek başına gezmeye başlamasın. "Aaay, iğrenç, tabakta saç var."

E demin okşuyordun, ne oldu?

ÇILGIN KONSERLER

Eğer gerçekten eğlenmek için bir konsere gittiyseniz, işiniz zordur.

Sahnedeki grup ya da sanatçı "Haydi, hep birlikte, haydi, herkes ayağa kalksın!" deyince, verilecek tepki çok önemlidir!

Bu çok ince bir zamanlamadır.

İlk siz yapsanız, "Amma meraklıymış oynamaya," denme ihtimali olur! Ortalara doğru katılsanız, "Başkaları yapmadan, bizim millet eğlenemiyor," yorumu yapılır.

Hiç kalkmasanız veya sonlara doğru lütfen katılsanız "E niye gelmiş ki buraya, eğlenmeyecekse?" denir.

Zordur yani.

Başka bir tehlike, konserlere çok da iyi tanımadığınız birileriyle gitmektir.

Böyle bir durumda, işaret verildiğinde, ilk kalkıp yerinde dans edenlerden olmak için bir dayanağınız varmış gibi görünür. Tek başınıza değilsinizdir, kalkarken diğerini de zorla kaldırırsınız nasıl olsa.

Ama arada odunlar da çıkar!

Şarkıcı anons eder:

"Hep birlikte, ayağa kalkıyoruz ve dans ediyoruz, haydi?"

Ayağa fırladınız:

"Heeey. Hadi kalktım ben. Hey, hey, hey. Hadi kalk, sen de kalk!"diye yanınızdakini dürtüklersiniz mesela...

Cevap acıdır!

"Yok artık. Bence sen de otur.!"

Çok berbat bir andır bu.

Bu tipler bütün salon ayakta bile olsa, ön sıralara "Oturur musunuuz, göremiyoruum!" diye bağıran cinstendir.

Bunlarla konsere gitmeyin, hatta hiç görüşmeyin.

YAZLIK DİSKOLAR

Yaz gecelerinin tatil diskolarına gitmişsinizdir.

Hakikaten hoş ortamlardır. Herkes yanık tenli, yazlık uçuşan elbiseler. Popüler şarkılar çalınır, deniz ışıl ışıl yanar, mehtap, derken insan havaya girer.

İki tane de şemsiyeli renkli kokteyl içmişsiniz, keyifler gelmiş. Dans etmek için piste gidersiniz. Belki de bir tek siz varsınızdır, ama ortam çok uygundur. Çift olarak mesela slow dans etmeye başladığınız anda, yazlık diskoların kâbusları gelir. Çocuklar!

Maalesef şehir diskolarının aksine, bu yazlık yerlere onlar girebilirler. Çünkü ya anne babaları da o anda oradadır ve çocukları bırakacak yer yoktur, ya da yandaki oyun parkındansa, koşuşmak için sizin romantik diskonuzu tercih ederler!

Çocuklar için disko, pistte zıplamak demektir.

Siz kendinizi bir Copacabana'da geçen film karesinde zannederken, önce biri gelip pistte zıplar (dans etmez, dikkat ediniz, zıplar) sonra birdenbire bunlar on beş yirmi kişi olurlar!

Ardından da her şey kontrolden çıkar. Bazısı yere yatar, bazısı arkadaşıyla çarpışıp ağlar, hemen koşmaca oyunu başlar ve elbette size de çarparlar.

Ve siz, uçuşan şifon elbisenizi kana bulamamak için yerinize oturursunuz!

Yazlık diskolarda sık sık yaşanan bu hadise, romantizmin katledildiği ve eğlencenin bittiği klasik anlardandır.

SÜRPRİZ PARTİ

Sürpriz parti vardır ya Amerikan filmlerinde, şimdi buralarda da yaygınlaşıyor.

Hani evden içeri anahtarla girersiniz, her yer karanlıktır, aniden ışıklar açılır, bütün tanıdıklarınız "Sürpriiz!" diye bağırır.

Bana sakın yapmayın! Çok sinirlenirim. Gayet de haklı sebeplerim var.

Diyelim ki doğum günüm, ama unutmuşum. İşten eve dönüyorum, perişan. Tanıdığım herkes orada, giyinmiş, süslenmiş gelmişler.

"Sürpriiz!"

E kuaföre bile gitmedim!

Üstüm başım rezalet.

Eve de iş getirmişim, programım ona göre.

Ben hiç öyle "Aaay, inanmıyorum, çok şekersiniz!" falan demem valla. Benden alacağınız en iyi tepki şu olur: "Aaa, bak şimdi. Bir haberim olsaydı. Üfff, olmadı hiç böyle!"

Ya da diyelim ki, ben doğum günüm olduğunun farkındayım. Ama kimse, akşam sürpriz olsun diye beni kutlamıyor! Annem aramıyor, babam aramıyor, arkadaşlarım sus pus. Feci bir durum. Ben öyle bir bunalıma girerim ki, o parti bile beni kurtaramaz!

Ayrıca, bakalım kimi davet ettiniz?

Benim belki sadece nezaketen görüştüğüm, ama sinir olduğum arkadaşlarım var. Sosyal ilişkiler o kadar kolay mı? Belki her arkadaş hayatın ayrı bir alanında olmalı ve bunlar bir araya gelmemeli! Çok hassas dengeleri var bu işin.

Çocuk doğum günü mü bu?! "Hadi hep birlikte el ele tutuşup, şarkılar söyleyelim." Ne alakası var?

Sonra bakalım menüde ne var? Pasta neli? Ya meyveliyse? İğrenç!

Bunlar benim için önemli detaylar.

Bana sürpriz yapmayın, ben kendi organizasyonumu kendim yapar, sizi çağırırım!

YEDİĞİNİZ İÇTİĞİNİZ BENİM OLSUN!

Akşam ne yiyeceğiz?

Genlerinizi inkâr etmeyin. Girin mutfağa, bir şeyler pişirin. Parlak bir kariyere dönüşmese bile, meditasyon olacaktır.

"Ayşe Hanım, akşama ne yemek yapacaksınız bize?"

Ayşe Hanım bana bakıyor.

Sanki az önceki cümleyi Sanskritçe söylemişim veya şeffafmışım gibi bir bakış bu.

"Ayşe Hanım, evde ne malzeme var?"

Aynı bakış, birkaç saniye... Neden sonra:

"Hiçbir şey yok efendim!"

"Nasıl hiçbir şey yok? Daha dün bir sürü alışveriş yaptık?"

...

Kesin şeffafım ve gaipten sesler geldiği için böyle bakıyor. Ya sabır.

"Ayşe Hanım?"

"Efendim?"

"Hani dün patlıcan almıştık? Nerede onlar?"

"BUZDOLABINDA KENDİLERİ!"

"Eh, o zaman rahatsız etmeyelim kendilerini. Biz akşam dışarıda yeriz!"

Ayşe Hanım'ın patlıcanlardan "kendileri" diye söz etmesinin sebebi, sebzeye duyduğu özel bir saygıdan kaynaklanmıyor.

Ayşe Hanım Bulgar göçmeni ve Türkçeye çok yaratıcı katkıları olabiliyor zaman zaman.

Ayşe Hanım kafeinsiz kahveye, nereden duyduysa "kokainsiz kahve", su ısıtıcısına da nedense İngilizce "kettle" diyor!

Geçen gün: "Gülse Hanım, siz televizyonda öyle takım falan değil de, daha komik bir şeyler giyseniz. Mesela Cem Yılmaz siyah tişörtle şalvar giyiyor, çok komik oluyor. Siz de öyle yapabilirsiniz," demez mi!

Ben ne bileyim Press Bey'deki Güllü Hanım'ın bizim evde "Ayşe" ismiyle çalıştığını...

Ayşe Hanım'ın, akşam yemeği menüsü söz konusu olduğunda, boş bakışlarının sebebi ise, yemek yapmaktan nefret etmesi!

Belki, birkaç dakika anlamazlıktan gelirse yorulup vazgeçerim diye çabalıyor...

Çünkü Ayşe Hanım, hem kendi evinde hem profesyonel kariyerinde yıllardır yemek yapıyor. Ve bıkmış.

Yemek yapmak, bence yazı yazmak, fotoğraf çekmek, resim yapmak gibi. Mecburiyet haline gelince tadını yitiriyor, biir.

İnsanlara ve hatta kültürlere göre bu konuyla ilgili yetenek, azalıp çoğalıyor, ikii.

Ben leydiykene...

On yedi yaşımın yazı. Her ailenin bizim kuşak ve öncesi kızları için hayalini kurduğu ve çoğunlukla kızların pek de bayılmadan gerçekleştirdiği, "Piyano-Fransızca-İsviçre'de lady okulu" üçlemesinin son ayağını da tamamlayıp, bir an önce kapağı üniversiteye atmak üzere, Lausanne'dayım.

Hakikaten "finishing school" denen, bir "hanımefendi yetiştirme okulu"yla karşı karşıyayız!

Daha on yedi, on yedi, on yedi yaşımın şahane yazında, üç ay boyunca katlanmam gereken dersler, Fransızca, dans ve dramayı bir kenara bırakırsak, sofra sanatları, çiçek tasarımı, protokol, görgü ve etiket.

Yani on yedi yaşında bir genç kızın en umurunda olmayan konular!

Okulda bütün Avrupa ve Amerika'dan kızlar var.

Dans dışında en çok heyecanlandığımız husus yemek dersleri.

İlk ders: Alman, İskandinav, Brezilyalı, Perulu, İtalyan, İspanyol ve Türk öğrenciler olarak bir aradayız. İki gruba ayrıldık, kendimiz pişirip kendimiz yiyeceğiz.

Domates kesmenin incelikleri!

Zaten önceden kaynaşmış olan Akdeniz ikliminden gelen ekip olarak, bekliyoruz ki, bize pasta kreması, brioş yapmayı öğretecekler, akla hayale gelmedik soslu etler, deniz mahsüllü risotto'lar hazırlayacağız.

"İlk ders: domates kesme!" demezler mi?!

Yemek öğretmenimiz madam gösteriyor: "Domatesi alın, tahtanın üzerine koyun, bıçağı alın..."

Aramızda gevezelik edip duruyoruz. Bazılarımız sıkılıp domatesleri kesip kesip atıştırmaya bile başladı.

Bir de baktık ki, Alman ve özellikle İskandinav kızlar, dilleri dudaklarının kenarında, pür dikkat, madamı dinleyip, onun gibi yapmaya çalışıyorlar. Daha da tuhafı, yapamayıp domatesi yamuk yumuk kesen, elini doğrayan bile var!

Norveçliler yemek için yaşar, Danimarkalılar yaşamak için yer, İsveçliler ise içmek için yermiş.

Sebebi ne olursa olsun, o yedikleri yemekleri kim hazırlıyor, çözmek mümkün değil!

O gün bizim grup mantar çorbası, Cordon Bleu usulü et, patates püresi ve şeftalili tatlı yaptı.

Kuzeyli grubun yaptığı salata ise yenecek gibi değildi!

Anladım ki, Türkiye'de "yemek yapmayı bilmemek" ile, Batı Avrupa'daki aynı değil!

Onlarda, bilmeyen domates bile kesemiyor.

Türk kadınına madalya veririm!

Bizde kötü yemek yapan, bir sürü yemeği yapıp tuzunu az koyana denir. **"Yemek pişirmeyi bilmeyen" de, hiç dolma sarmamış insan manasında kullanılır.**

Hem çoğu kadın yemek yapma konusunda çok yaratıcı ve beceriklidir, hem mutfak kültürümüz çok zengindir.

Son yıllarda, yemek yapmak, kadınlar için geleneksel bir zorunluluk olmaktan çıkıp, zevkli bir hobi, bir tür meditasyon, hatta meslek olmaya başladı.

Ben, yemek yapmanın gevşetici ve stresten arındırıcı özelliklerinden haftada bir faydalanıyorum. Genellikle spagetti türevleriyle.

Çalışan herkese tavsiye ederim!

Ama işi daha ileri götürüp, zaten genlerinde var olan yeteneği parlak kariyerlere dönüştüren kadınlar da tanıyorum: Senem Betil, Defne Koryürek, Ceren Büke gibi...

Ve iddia ediyorum, **Türkiye'nin, belki de dünyanın iyi şefleri, yakın zamanda kadınların arasından çıkacak.**

Sektörünüzden sıkıldıysanız, bu cümleyi bir daha okuyun!

Sonradan öğrendiklerinizi değil, doğal yeteneklerinizi başarı ve paraya çevirmenin zamanıdır belki de...

Hayatı Değiştiren Kahvaltılar

Sabah insanı değilimdir. Akşam yatmak, sabah bir türlü kalkmak bilmem!
Sabahlarla ilgili sevdiğim şey, kahvaltıdır.

Sabah kahvaltısına bayılıyorum.

Tatil günleri bile, sabah yedide kendiliğinden uyanan sabahçılardan olmadığım gibi, aslına bakarsanız, iş günleri de uyanabildiğim söylenemez.

Sabah insanı değilimdir. Akşam yatmak, sabah bir türlü kalkmak bilmem!

Sabahlarla ilgili sevdiğim şey, kahvaltıdır.

Taze gazete, kahve-çay kokusu...

Belki de, hayatınızın en muhteşem saatlerini geçireceğiniz, inanılmaz bir iş teklifi alacağınız, hatta âşık olacağınız güne başlama dakikaları.

Sabahlar, günün geri kalanı ile ilgili hayal kurmaya açık, uygun ve hatta meyillidirler.

Sabahlar, iyi ihtimallerle doludur.

Diner'lar yeni hayatlar vaat eder

New York'tayken, kendi başıma yaşadığım en büyük keyif, bazı sabahlar gidip "diner"larda kahvaltı edip gazete okumaktı.

Bu "diner"larda günde üç öğün, hatta bazısında 24 saat, yiyecek her şeyi bulabilirsiniz. Sütlü yulaf, yumurta, hamburger, salata, pancake, sebze çorbası, hatta New York'ta, bunların çoğunu Yunanlar işlettiği için patlıcan musakka! Eğer sabahsa, siz sipariş vermeden getirip fincanınıza kahve koyarlar.

Servis hızlı, yemekler açsanız hiç fena değildir!

Benim evimin sokağındaki diner'ın sahibi de Yunandı. Ege hariç, dünyanın her yerinde Yunanlar ve Türkler birbirleriyle gayet iyi anlaştıkları için olsa gerek, Türk olduğumu öğrenir öğrenmez, Mamma's Diner, ikram, indirim ve sohbette sınır tanımayarak ikinci adresim oldu!

Mamma's Diner'a, haftada iki-üç sabah, sırtımda çanta, okula gitmeden önce, çoğunlukla bir omlet ve kahve için uğrar oldum.

Çoğu Amerikan filminde, yeni bir döneme başlama sahnesidir bu:

Kahraman, diner'ın kapısından içeri girer.

Masaya oturur oturmaz, önlüklü kadın garson bir bardak buzlu su getirir, kahvesini koyar, not defterine siparişi yazar ve gider.

Derken...

Ya kahraman, karşıda oturanla çok ümit vaat edici şekilde göz göze gelir ve hikâye başlar...

Ya gözüne, gazetedeki ilginç ve hayatını değiştirecek ilan çarpar...

Ya diner'ın yaşlı, şişman ve bilge sahibi, bir iki cümleyle hayat felsefesini alt üst eder...

Bazen sanat hayatı değil, hayat sanatı taklit ediyor ya...

Ben de, sabahları o pozlarla girdiğim Mamma's Diner'da, beni (omletin yanındaki çıtır sote patates dışında!) bir şeylerin etkilemesini, başıma olağanüstü şeyler gelmesini bekleyip durdum.

Tam o dakikalarda, New York'ta, hiçbir şeyi umursamadan öğrenci olmanın, sinema okumanın, gezip tozmanın ve alabildiğine hayal kurabileceğiniz bir dönemde olmanın, yaşanabilecek en olağanüstü şey olduğunu fark etmeden...

Bugün, şimdi, veya saat geçtiyse yarın sabah, hayatın en çok şey vaat eden anlarının, yani kahvaltıların tadını çıkarın!

Hem hayal kurun hem de sadece peynirin, reçelin değil, yaşamda sahip olduğunuz her şeyin lezzetine varın...

Yerli malı, yurdun malı!

Bu arada Türk kahvesi servisi yapmayan restoranlara fena halde takmış durumdayım.

Yemek bitiyor...

"Kahve alır mısınız?"

"Tabii, çok şekerli, Türk kahvesi!"

Garson İRKİLİYOR. Hafif bir yadırgama, bir tür küçümseme mi deseem, "Biz Avrupa yemeği yapıyoruz, ne ilgisi var?" ifadesi mi desem, öyle bir şey:

"Türk kahvesi yok bizde efendim!"

Bravo vallahi!

Çok Fransızsınız mon cher, aşkolsun doğrusu! Madem öyle Fransız restoranınızda niye espresso, cappuccino ve macchiato var? Onlar da İtalyan kahvesi değil mi? Neskafe de var diyorsunuz, o ne kahvesi oluyor? Efenim?

Makineyle İtalyan kahvelerini yapmak kolay, cezve mezve zor iş diye düşünüyorsanız, vatandaş Türk kahvesi makinesi icat etmiş.

Pazarda bile satılıyor.

Plastik, büyükçe bir cezve. İçine, suyu, şekeri, kahveyi koyup bir kere karıştırıyorsunuz. Fişe takınca, 10 saniyede, harika Türk kahvesi yapıyor. Entipüften bir şey, herhalde 5-10 milyondur. Ama çok başarılı.

İtalyan, Fransız, Çin lokantaları, kafeler, karma uluslararası mutfaklar, hatta suşi'ciler...

Bundan sonra yandınız! Yunanistan'da, Mısır'da daha kolay bulunan Türk kahvesini yapmayan restoranları mimliyorum, **köşemde teşhir edeceğim!**

Sadece turistleri değil, bizi de Türkiye'de, Türk kahvesi zevkinden mahrum bırakmayın.

Gözüm üstünüzde!

Simitsiz kahvaltıya kahvaltı demem!

Bu kadar kahvaltıdan bahsetmişken, şunu da eklemeden geçemeyeceğim:

Amerika'dayken diner'lardaki omletler iyiydi de, bence dünyanın hiçbir sabahında, **hiçbir kahvaltı, Türk kahvaltısının yerini tutamaz.**

Beyaz peynir, sıcak sokak simidi, iyi zeytin, sahanda yumurta, poğaça, domates, bal ve kaymakla başlanmış bir gün, asla kötü geçemez!

Maalesef Türk kahvaltısı her yerde bulunmuyor. Türk kahvesi yapmayan restoranlar nasıl sinirime dokunuyorsa, kahvaltı için sadece gravyer, kruasan (ki onu da adam gibi yapmayı beceremiyorlar!), jambonlu sandviç ve filtre kahve yapan yerleri de **gitmeyerek protesto ediyorum.**

Gastronomi konusundaki milliyetçiliğim sürecek...

SEBZE HAKLARI

Bazı yemekler, nüfusun çoğunluğu tarafından sevilmezken, niye hâlâ yapılmaya devam eder ki?

Mesela kereviz? Veya bamya ya da pırasa?

Eminim ki bir istatistik yapılsa, insanların yüzde doksanı hayatı boyunca bu tür yemeklerden vazgeçebilir.

Yine de, bilinmeyen bir sebeple bu yemekler evlerde yapılmaya devam eder.

Sebzelerin eşitliğiyle ilgili, gelişmiş ülkelerin kabul ettiği bir beyanname mi var?

"Bütün sebzelerin, kereviz, bamya, pırasa gibi, az popüler olanların bile, evlerde en az aşağıda belirtilmiş minimum defa pişmesini taahhüt ediyoruz. Bu, sebze hakları açısından büyük bir adımdır!"

Türkiye bir tarihte bunu mu imzalamış?

Biz bunun kurbanı mıyız?

ÇİN ÇUBUKLARI

Çin yemeği dünyada çok yaygınlaştı.

Çin yemeği yiyenler, (Türkiye'de de böyle), özellikle Çin çubuklarını kullanmaya özen gösteriyorlar. Daha havalı bir şey çünkü.

Yani, "Ayı değiliz, daha önce de yedik, raconu öğrendik," manasında...

Oysa benim teorime göre, Çin çubuklarının icat edilme hikâyesi çok başka.

Çin, biliyorsunuz o zamanlar da kalabalık, hızlı ürüyorlar.

İkide bir de Türkler gelmiş, ne kadar tatlı, ekşi, soslu tavuk, sebzeli pilav falan varsa alıp götürmüşler. Zaten Çin Seddi'nin yapılışı da bu sebepten.

Birdenbire kıtlık tehlikesi baş gösteriyor.

Çin imparatoru diyor ki: "Arkadaşlar, öyle bir şey bulmalıyız ki, halk yemek yiyemesin. Ama aç da kalmasın, çünkü isyan çıkar. Yani, yediğini sansın, fakat yemeğin yarısında nedense doyup sıkılıp bıraksın."

Uzak Doğulular, biliyorsunuz, icat konusunda çok başarılı. Hemen bu çubuklarla yeme çözümünü buluyorlar.

O gün bugündür halk saatlerce yiyip, sonunda yorulup, tabağın yarısında bırakıyor. Yavaş yavaş da az yemeye alışıyorlar...

ÇİKOLATA KRİZİ

Bazı yiyecekleri ne gıda kategorisine sokabiliyoruz ne de uyuşturucu.

Çikolata mesela. Temel besin maddelerinden değildir. Hayat boyu yemeseniz de güzel güzel yaşarsınız. Dolayısıyla gıda diyemeyiz.

Keyif vererek bağımlılığa benzer bir şey yarattığı halde, kanuni olduğu için uyuşturucu da sayılmaz.

Ama bence uyuşturucuya daha yakındır!

Yoksa niye "çikolata krizi" diye bir şey olsun? "Ay çikolata krizim geldi, hemen çikolatalı bir şeyler yemem lazım!" demiyor musunuz?

"Şehriye çorbası krizi" var mı?
Veya "Kıymalı patates krizim geldi" diye bir şey duydunuz mu?
Ya da pırasa krizi?
Çünkü onlar bağımlılık yapmaz.
Aslında "pırasa krizi" var. Akşam evde pırasadan başka yiyecek bir şey yoksa yaşananlara pırasa krizi denebilir.
Bu bağlamda, kereviz de aile içi şiddetin başlangıcı olabilir.
Ama çikolatayı herkes sever.

DOĞALA ÖZDEŞ KETÇAP!

Deterjan reklamlarında giysilerdeki zor ve iğrenç lekeleri gösterirler.
Pardon ama, bunları seyretmek zorunda mıyız?!
Hadi çimen lekesi, kahve lekesi falan tamam. Ama yemek lekesi fecidir. Ayrıca hangi yemeğin lekesi olduğu da söylenmez. O iğrenç şey, salçalı köfte midir, zeytinyağlı fasulye midir?
Yemeklerin sosları sık sık giysilere dökülürken, nedense o ketçap, o şişeden çıkıp tabağa dökülmeyi bilemez bir türlü.
Neden öyle yaparlar ketçap şişelerini?
Kavanoz yapsalar ya, kaşıkla alsak. Veya tüpte satsalar.
Salla, şişenin dibine vur, yine salla... Olmadı, bu deneyimle olgunlaşıp, sabrın değerini anlamış gibi beklemeye başla!
Bence üreticiler bunu iştah açmak için yapıyorlar. Önce zorlanınca, ketçap döküldüğünde bir şey kazandığını zannedip seviniyorsun. Halbuki bildiğin domates sosu.
Bu tür bazı sosların içeriğine ilk baktığımda, her şeyin doğala özdeş, ama yapay bir şey olması beni derinden sarsmıştı!
Nebati yağ türevi, yumurta tozu, gıda boyası, doğala özdeş domates aroması...
Bu "doğala özdeş" işini de anlamıyorum.
Madem o kadar "özdeş", doğalını niye hâlâ yetiştiriyoruz?

SPAGETTİ WESTERN

İnsanlar yıllardır yiyecekleri sevdikleri şeylerin formunda yapıyorlar: Ay şeklinde çörekler, bohça şeklinde mantılar, kalp şeklinde kurabiyeler...

Spagetti, yani uzun makarna hariç!

Allah aşkına, spagettiyi doğadaki herhangi bir şeye benzetmeye çalışsak, toprak solucanından başka bir şey geliyor mu aklınıza?!

Bence yıllar önce İtalya'da hamur yoğuran bir kadın, iki dakika hava almaya çıkmış ve döndüğünde şu manzarayla karşılaşmış: "Anne, bak hamurdan solucanlar yaptım!"

"Allah kahretsin, seni. Eyvaah, akşama yemek de yok. Gözü kör olasıca! N'apıcaz? Bunları haşlayıp yiyeceğiz mecburen. Artık üzerine peynir meynir koyarız."

Yalnız teorim burada tıkanıyor.

Çünkü nasıl icat edildiği tamam, ama düzgün yenmesi imkânsız, ne kaşığa ne ağza sığan bir yemeğin, en yaygın makarna çeşidi olmasını hiçbir şekilde açıklayamıyorum.

BÖLÜCÜ YEMEKLER

Kimi yiyecekler toplumu ikiye böler: Bayılanlar ve nefret edenler.

Kokoreç böyledir mesela. Bazıları iyi kokoreç için şehrin öteki ucuna gidebilir. Bense resmine bile bakamam.

Yeşil erik, çağla, işkembe çorbası, hatta o çok pahalı havyar da böyledir.

İnsanların yemekle ilgili zevkleri, çocuklukta gelişirmiş.

Mesela şeftalili mama yerken, en sevdiğiniz oyuncağınızla oynuyorsanız, hayat boyu şeftali severmişsiniz.

Peki sevilmeyenlerin sırrı ne?

Bebek kokoreç yerken, televizyonda korku filmi mi başlamış?

Ya da tam kızarmış ekmeğinin üzerine havyar koyduğu anda annesi mi bağırmış?

BEBELERE LAHANA!

Çocuklar için çikolata hem yasak hem ödüldür.

Belki de bu yüzden sihirli bir yiyecek gibi, çok sevilir.

Tabii, kakaonun buralara gelmesi, keşiflerden falan sonra.

Mesela Ortaçağ Avrupa'sında, elimizdeki kaynaklara göre, özellikle ortalama halkın elinde, yiyecek olarak patates ve lahanadan başka bir şey yok.

O zaman ne derlerdi acaba çocuklara: "Aaa, yemekten önce lahana yok! Önce lahananı ye, sonra lahana yersin".

Veya, "Odanı toplarsan, akşama patatesten sonra, sana patates vereceğim." Çocuklar lahanasına maç mı yaparlardı acaba?

Veya lahana alerjisi diye bir şey var mıydı ki?

SİGARA TİRYAKİLERİ

Sigara icat edilmeden önce, insanlara böyle bir şeye bağımlı olacakları söylense herhalde gülerlerdi.

"Bak, ileride, içinde yüzlerce hikâye ve görüntü olan resimli kutular, dünyanın bütün kitaplarını okuyup bütün müziklerini dinleyebileceğin ekranlı, tuşlu aletler, istediğin her yere gidebileceğin arabalar, uçaklar olacak.

Bütün bunlar varken, sen, favori eğlence ve rahatlama metodu olarak, içine tütün sarılmış kâğıtları yakıp, dumanını içine çekeceksin! Bir de üzerine para vereceksin."

Döverlerdi adamı!

Çağdaş insan, mesela reklamlarda, egzoz dumanından, restoranların yemek kokusunu dışarı veren havalandırmalarının önünden, hatta çiçek polenlerinden kaçıp evine geliyor.

Klimayı çalıştırıp, şööyle kanepeye uzanıyor.

Siz reklamın devamını görmüyorsunuz.

Ondan sonra sigara yakıyor.

Niye? Sokaktakilerden daha zararlı ve içinde katran da olan bir dumanı içine çekmek için!

Sigara sadece zararlı değil, aynı zamanda vakit alıcı bir şey. Günde kaç kere sigara molası verdiğinizi düşünün.

Başka işiniz mi yok?

O arada örgü örün. Kurşunkalemleri açın. Bilmece çözün. Bir işe yarasın.

Sigara tiryakileri şu anda sinirden bir sigara yaktı, hissediyorum.

BOOOZAAAA

İçecek reklamlarını seyrediyoruz. Binbir türlü numara.

"Yaşamın keyfi", "hayatın anlamı", "kalorisiz", "gerçek meyve parçalı", şudur budur.

Sokaklarda, büfelerde satılan içeceklerin bile satış taktikleri var: "Yayık ayranı", "buz gibi limonata", "günlük süt", hepsi aslında birer reklam sloganı.

Dünyada reklama ihtiyacı olmayan tek içecek var: Boza.

Nasıl satarlar bozayı?

"Boozaa."

Boza. O kadar. Söylenecek başka hiçbir şey yoktur.

Bozayı tanımlayacak bir sıfat yoktur. Boza bozadır.

Ne diyebilirsiniz ki? Bej rengi boza? Oda sıcaklığında boza? Olmaz.

Hâlâ, reklam sloganına ihtiyacı olmayan böyle bir içecek yapılmadı. İnsanlar da uyduruk meşrubatlar için kendilerini paralıyorlar.

İCATLAR, KEŞİFLER, BULUŞLAR...

İcat çıkarmışlar, elbette denedik!

Olay şu: Koskocaman bir küvet. Elips şeklinde, ama geniş ve uzun. Tepesinde bombeli bir kapağı var. İçinde kırmızı ışık, düğmeler ve iki karış yüksekliğinde su.

Bilet al, otel ayarla, alışveriş yap, bavul hazırla, para harca, evi kapat, anahtarı komşuya ver, telaş et, koştur, göç et...

Neden?

Şehirleri bırakıp, uzaklarda tatil yapmak için.

Niye şehirleri bırakmak istiyorsak bu kadar...

Kendi hesabıma hiçbir zaman metropollerden kaçma isteği duymadım. Tam tersi, gittiğim kasabalarda, yazlık köylerde zaman zaman, mesela bir kırkayak, tepemde uçan bir yarasa, orada olmayan bir sinema, bir kitapçı veya sadece gürültüsünü aradığım için, şehirleri özledim.

O yüzden, köşemde "**En sonunda ben de şehir dışındayım. Bulunduğum yerde bilgisayar ve telefon yok. Haftaya yazacağım**" cümlelerini okuyan tanıdıklar şaşkınlık içinde beni aradılar:

"**Gülse? Ne o? Kelebekler Vadisi'nde misin**? Orada çadırda kalınmıyor mu?"

İşin aslını anlatayım:

Bodrum'daydım.

Daha doğrusu hâlâ Bodrum'dayım. Ve bildiğiniz gibi burası, telefonu, bilgisayarı, internet kafeleri, uydu antenleri, alışveriş merkezleri, gittikçe çoğalan siteleri, gittikçe çoğalan paparazzileri, gittikçe çoğalan tekneler ve kalabalık yüzünden denize tercih edilen havuzlar, yükselen gayrimenkul fiyatlarıyla, yer yer metropol olmaya doğru dev adımlarla koşuyor.

Şikâyet ettiğimi sanmayın. "Her şey olduğu gibi kalsın, dükkân açılmasın, araba geçmesin, o fakir balıkçı köyü hep öyle yalnız ve fakir kalsın, biz de arada gidip denizin, sessizliğin, ucuzluğun keyfini çıkaralım"cı bencillerden değilim. Bodrum'u bu haliyle de çok severim.

Ders: Refleksoloji

"**Burada telefon ve bilgisayar yok**"un ne kadar palavra olduğunu anlatmaya çalışıyorum.

Olay şu: Koskocaman bir küvet. Elips şeklinde, ama geniş ve uzun. Tepesinde bombeli bir kapağı var. İçinde kırmızı ışık, düğmeler ve iki karış yüksekliğinde su.

Debbie'yle birlikte başında dikiliyoruz.

Debbie, ayağın çeşitli noktalarının vücuttaki organlarla ilişkisinden yola çıkarak ayak masajıyla bir çeşit arındırma olan "**refleksoloji**" uzmanı.

Biraz önce bir ışık ve mercekle gözlerimi muayene edip, sağlığım ve kişiliğim konusunda tahliller yapmış: "Mideniz biraz hassas. Vücudunuzu beyniniz yönetiyor. Biraz da vücudunuzu dinleyin. Ayrıca hayattaki her şey sizin kontrolünüzde olamaz, biraz kendinizi bırakın." Bunun adı da **iridoloji!**

Sonra aklına gelmiş: "**Kendinizi bırakıp, gevşeyeceğiniz bir yer biliyorum.**" Ve işte orada, mucize küvetin başındayız!

O iki karış yüksekliğindeki suyun içinde, çok özel bir tür tuzdan bol miktarda var. Yani suyun yoğunluğu deniz suyunun kat kat üstünde, dolayısıyla kaldırma kuvveti de çok yüksek. O suya yatıp kendinizi bırakacaksınız, kapak kapanacak. Ses geçirmeyen küvetinizde, suyun üzerinde yaprak gibi yüzeceksiniz. Tam bir saat! Sonra çok dinlenmiş kalkacaksınız.

Gazeteciyiz ya, hiçbir şeyden eksik kalmayacağız ya.

"Ben bu otele arkadaşlarla bir şeyler içmeye gelmiştim, ne işim var?" falan diyen yok!

"Tamam," dedim, "deneyeyim!"...

Kulaklarıma tıkaçlar tıkadım. Boynumun altına şişme bir yastık verdiler. Suya girdim. Daha doğrusu, üzerine yattım!

Debbie, kapağı kaparken sırıttı: "Umarım kapalı kalma fobin yoktur. Sıkılırsan solundaki düğmeye bas, kapak açılır," dedi ve "tlonk" diye kapattı.

Suyun üzerindeyim.

Yavaş, çok yavaş hareketlerle sağa sola kaydığımı hissediyorum. Bazen omzuma küvetin duvarlarından biri değiyor.

10 dakikalık bir klasik müzik, sonra susuyor.

Tam sessizlik. Kusursuz sessizlik...

Öyle "Ay bizim yazlık çok sessiz"deki gibi ağustosböceği cırıltısı, uzaktan çocuk ağlaması, patlıcan biberci bağırışı, dalga sesi falan değil...

Çöldeki gibi. Çıt yok.

Önce biraz debeleniyorum.

Işıklara bakıyorum, solumdaki düğmeyi kontrol ediyorum. Yastığı düzeltiyorum. Kafam her zamanki gibi telaşlı: Burada bir saat geçirsem, sonra çıksam, bir şeyler içsem, eve dönsem, yazı yazsam, akşama yazıyı geçsem... İnternette problem çıkar mı acaba.... Kulağıma su kaçsa tuz zarar verir mi? Bu su cilde iyi mi gelir, kurutur mu? Kız çıkarken kapıyı kilitledi mi? Kilitlediyse anahtar odanın neresinde? Bu küvetin havalandırma yeri şu mu? Akşam yemeğini ne yapsak?

Su Yumuşacık...

Derken yavaş yavaş sessizliğe ve hissizliğe teslim oluyorum. Yatakta yatar gibiyim ama bir farkla. Yatak sert bir şeydir. O yüzden tek pozisyonda yatarsanız vücudunuz tutulur. Sürekli dönmek zorundasınızdır. Çünkü sizin yatağa yaptığınız baskının benzerini, yatak da size yapar.

Su öyle değil. Yumuşacık. Bir süre sonra bu vücut sıcaklığının biraz üzerinde ılık suyu da hissetmemeye başlıyorsunuz. İş havada yatmaya dönüyor. Müthiş bir duygu.

Tatil kitaplarımdan biri **Engin Geçtan**'ın " **Hayat**"ı.

"Büyük kent insanının sık kullandığı uyuşturuculardan biri de hız. Aynı şey, telaşşız da aynı sürede yapılabilir, üstelik yapılacak şeye ayrılan zaman ve enerjinin bir bölümü seferberlik sırasında tüketilmeden. Ama hız, insanın içindeki boşlukla yüzleşmemesi için çağdaş normların da pekiştirdiği ve uyuşturucu niteliği kazandığında yavaşlatılması zor bir araç," diyor yazar.

Bense iyice yavaşlamışım, hatta duruyorum. Hatta hatta, zaman yok ki.

Aklımda kitap, kulağımda nedense **Aerosmith**'in bir şarkısının sözleri: "**Life's a journey, not a destination...** " **(Hayat bir yolculuktur, varış yeri değil** ...) On bir yaşındayım, kolej imtihanlarına hazırlanıyoruz. Her günümüz planlı. Okul, kurs, ödev.

Bir dergide **My Melody** isimli bir parfümün reklam fotoğrafını görüyorum: **Bir genç kız, üzerinde bir kot tulumla, çıplak ayaklar, yan gelip kâğıttan yapılmış bir kayığın içine yatmış. Elleri başının arkasında, gözler kapalı ve gülümsüyor. Denizin ortasında...**

On bir yaşındayım.

Resme bakakalıyorum. O kızın yerinde olmak için bütün plaklarımı, bebeklerimi (zaten artık sevmiyorum onları), giysilerimi veririm diye düşünüyorum...

O gün bugündür, uykuya dalmadan, gevşemek için o resmi gözümün önüne getiririm.

Küvetteyim...Öylesine suda yüzüyorum. O kâğıt kayıktaki kız gibi.

Söylenenlere göre bu "**Floatation tank**"de geçirilen 1 saat, 9 saat uykuya bedelmiş. Bana daha da iyi geldi.

Kalktığımda pelte gibiydim. Hemen gazetemin "**yetkililerine**" bir mesaj yolladım:

"Yazıyı yazmam mümkün değil. Yıllık izin mizin, bir şey koyun. Bulunduğum yerde ne telefon var, ne bilgisayar, haftaya anlatırım" diye...

Sen al bunu, olduğu gibi yaz gazeteye! **Maksat beni okura rezil rüsva etmek!** Ben de, ya bir sonraki yazıyı kurtarmak için Kelebekler Vadisi'ne gidip izlenimde bulunacağım ya da "Sevgili okurlar, evet, ben tembelim, ne yapalım!" diye itiraf edeceğim! Hahhayt!

Tabii onlar bu "floatation tank" işini hesaba katmadılar.

Tatile çıkamadıysanız üzülmeyin, alın elinize sofra tuzu, doldurun küveti, kapayın kapıları, koyun bir müzik.

Atlayın kâğıt kayığınıza gidin...

TROLEYBÜSÜ KİM İCAT ETTİ?

Toplu taşıma araçları, şehirlerin kişiliğidir bence.

Benim bu konuda merak ettiklerimden biri, 70'li yıllarda İstanbul'da yaygın kullanılan troleybüslerin kimin fikri olduğudur.

Hatırlarsanız bu araçlar, tepelerinden antenlerle kablolara bağlıydılar ve genellikle dururlardı. Yani hareket ettikleri ender görülürdü.

Neden?

E elektrik yoktu!

Türkiye'nin en çok elektrik kesilen döneminde, evlere bile doğru dürüst elektrik verilemezken ve her evde çeşitli çap ve ebatlarda mum, gaz lambası, ışıldak ve türevlerinin, koltuk kanepeden daha demirbaş bir durumda olduğu yıllarda, neden elektrikle çalışan bir toplu taşıma aracı?

Bunu, hangi geri zekâlı akıl etti?

Elektrik kesintilerinden haberi mi yoktu? Onun yoktu diyelim, kimse çıkıp: "Kardeşim manyak mısın, ikide bir elektrik kesilecek, bu aletler yolun orta yerinde kalacak, köşeleri dönerken yolları kapayacak, trafik felç olacak," demedi mi?

Gerçekten ilginç bir belediyecilik seçimidir.

Derken teker teker yetmedikleri için körüklü otobüsler çıktı.

Körüklü otobüsler yapışık ikizlere benzerler. Hep üzülmüşümdür. Kendilerine ait bir kişilikleri, direksiyonları, giriş çıkış kapıları yoktur. Reklam panoları bile ortaktır. Ve aynı Siyam ikizleri gibi birlikte hareket ettiklerinden hantal ve yavaştırlar. Köşeleri dönemezler, yavaş giderler, yokuş çıkamazlar. İnsanı yüreği parçalanır.

Toplu taşıma, eğer metro yaygınlaşmazsa, ben ve benim gibiler için malzeme olmaya devam edecek. Bunu hissediyorum.

ELEKTRONİK BEBEKLER

Yıllardır bir şeyler icat ediyorlar. Bulaşık makinesi, mikrodalga fırın, faks.

Bence bu işi yapan insanlar şu anda korkunç bir gerçekle karşı karşıya: İcat edilecek bir şey kalmadı.

Bunlar da vurdular kendilerini saçma sapan şeylere. Mesela cebe kolaylıkla sığabilecek, elektronik bebekler icat ettiler.

Bebeğe belli aralıklarla yemek vermen, uyutman, sevgi göstermen gerekiyor. İhmal edersen ölebiliyor bile.

Böyle saçma sapan şey olur mu? Bak, büyüt, besle, uykusuz kal, sonra ne mürüvvetini göreceksin onun?

Bir düğün, bir kına gecesi mi yapabileceksin?

Sünnet zaten söz konusu değil!

Bir askere gönderip ağız tadıyla ağlayabilecek misin?

Yaşlandığında, o düdük gibi alet mi bakacak sana?

Gereksiz şeyler bunlar.

Robot köpeklerle ilgili düşüncelerim de aynı. Ben insanın üzerine atlayıp yüzünü yalamayan, gerekli gereksiz, elinde torba olan herkese havlamayan köpeğe köpek demem!

Bence teknolojinin işi bitmiştir.

KİM, NEYİ, NİYE İCAT ETTİ?

İnsanlar icat yaparken neyi, niye icat ettiklerini biliyorlar mıydı acaba?

Benim bu konuda bir dizi sorum var.

Tükenmez kalemi kim icat etti, icat edeni bırak, hangi salak tükenmez kalem adını verdi? Bu ismi verdikten sonra, kalem tükendiğinde ne yaptı?

Yoğurt nasıl icat edildi? İcat edilen ilk yoğurda, nasıl yoğurt mayası katılabildi?

İlk mayayı kim icat etti?

Zeytinyağlı yaprak sarmasıyla mantıyı icat eden kadının, aklından zoru mu vardı? Yoksa çok mu sıkılıyordu?

Fotoğraf makinesini icat eden insan mı, fotoğraflara sırıtarak poz verilmesi gerektiği kuralını koydu? Yoksa, o ilk fotoğrafı çekerken, fotoğrafını çektiği arkadaşı, onun elinde tuhaf bir makineyle halini, çok mu komik buldu da güldü ve böyle bir gelenek yerleşti.

Elektro gitarı icat eden adam, gerçekten "dıjınvaauv" sesini akustik gitar sesinden daha çok mu beğendi de, icadını piyasaya sürdü?

Şemsiyeyi icat eden adam, o şemsiyeyi bir yerde unuttu mu?

Örnekler çoğaltılabilir, sizi baymayayım.

İCAT ÇIKARIYORUM: BOĞAZI DOLDURALIM!

Herhalde duydunuz, Boğaz'a 3. köprü yapılacakmış.

Bence böyle geçici çözümler bizi kesmez. Dolduralım denizi olsun bitsin.

Yürüye yürüye karşıya gider geliriz!
Köprü trafiği falan kalmaz.
Ayrıca gemi battı, tanker patladı stresinden de kurtuluruz.
İntiharlar da biter.
Bu Boğaz başımıza bela, ben size söyleyeyim!
Manzaralı ev kalmaz, sosyal eşitlik de sağlanır.
En önemlisi de, Asya'yla Avrupa arasında hakikaten köprü olmuş oluruz! Kars'a kadar Avrupa kıtasında sayılacağımızdan, belki Avrupa Birliği işi de daha erken hallolur.
Yani Türkiye'nin belli başlı tüm sorunları çözülür.
Gelin "he" deyin şu işe!

BİLGİSAYARI SEVİYOR MUYUZ?

Bu ülkede son derece yaratıcı fikirler vücut buluyor. Mesela şu pazarda satılan, fişe takınca 10 saniyede Türk kahvesi yapan alet. Sonra, mekanik dolma sarma makinesi çıkmış, bilmiyorum gördünüz mü?

Ve son haber: Gaziantep'te bir adam, asrın icadı diye ortalığı ayağa kaldırdıkları Ginger'ı, iki sene önce oğluna yapmış zaten!

Kesinlikle uydurmuyorum. Adam bisikletçi. Çocuk bisiklet istemiş, "Şimdi uğraşamam, al, buna binersin, ayakta git gel," demiş ve çocuğa Ginger yapmış. Ayrıca, abartmıyorum, bizim Ginger yüzebiliyor da.

New York'ta yapınca "asrın icadı", Gaziantep'te yapınca "çocuğa dütdüt". İşte hayat böyle bir şey, sayın seyirciler.

Zaten biraz dikkat edince, Batı'dan bize gelmiş bir sürü harika icadın aslında o kadar da harika olmadığını görüyoruz. Mesela, bilgisayar.

Haydi şimdi internet var, falan, çok işe yarıyor.

İnternetten önce, biz genellikle yazı yazmak için bilgisayar kullanıyorduk.

E bu amaç için pratik bir şey mi ki bilgisayar?

Kocaman, üç parça.

Üstelik yazı makinesinin aksine, yazıcı olmadan kâğıt çıkışı da alamıyorsun.

İkide bir kaydet ki yazılar uçmasın...

Neymiş, bütün dosyaları saklayabiliyorsun.

E benim çekmecem var! Üstelik çekmecenin aniden çöküp bütün dosyaları silmesi diye bir ihtimal de yok.

İşin gerçeği şu ki, bize yıllarca, dünyanın en pratik fikri diye, kocaman üç parça ve bir yazıcıdan oluşan, süper pahalı ve kullanması daha komplike bir daktilo sattılar!

Yani asıl parlak fikir, mucitlere değil, yine reklamcılara aitti.

MODALAR, TRENDLER VE DİĞER FUZULİ İŞLER...

Trend gelir hoş gelir...

"Trendsetting" olayı herkesin harcı değil sevgili okuyucular. Kolay mı öyle? Yeni eğilimleri belirleyeceksin, yeni modanın kokusunu alacaksın, yenilikleri herkesten önce sen yapacaksın, suşi'ydi, sokak sergisiydi, ev partisiydi, kloş etekti, hiçbir şeyden geri kalmayacaksın, bir de bu koşturmada iş, güç, ev... Kan ter içinde uyanmışım.

Bir cumartesi sabahı.

Sabahı derken, tembel bir brunch anı, on bir buçuk suları falan değil. Gerçekten sabah. Saat sekiz buçuk.

Sabancı Holding binasında, turk.net strateji geliştirme toplantısına katılmak için beklerken, elimizde kuru pastalar, kahvelerle uyanmaya çalışıyoruz.

Beni buraya davet edenler, aynı zamanda üniversiteden arkadaşlarım.

Hafta ortası elime öyle havalı bir davet mektubu, öyle ısrarlı e-mail'ler ve diğer katılımcıları içeren o kadar havalı bir liste gelmiş ki, o karmaşada kendimi bir cumartesi sabahı Sadıka Ana Salonu'nda bulmuşum!

Zannederim benden başka herkes ya şirket sahibi ya da genel müdür. Üstelik de sadece bilgisayar, yazılım ve internet firmalarından.

Sohbetti, "Ay, iyi ki geldiniz"di, "g.a.g.'ı çok seviyoruz" falandı gırla gidiyor ama bende hoşafın yağı kesilmiş.

Aslında hafta ortası aklıma gelmiş olması gereken bir soru, üstü şamfıstıklı kurabiyeyle neskafe arasında, aklımı kurcalıyor:

"Ben niye buradayım?"

Haftaya da beyin fırtınasına bize buyurun!

Elimize günün programıyla ilgili kâğıtlar tutuşturulunca acı gerçeği anlıyorum: Akşam sekize kadar doluyuz!

Biri atılıyor: **"Aslında bu brainstorming toplantılarını, biz, bir bütün hafta sonuna yayıp, şehir dışına giderdik eskiden. Üç gün üç gece beyin fırtınası. Yemek arası, yine beyin fırtınası, uyku, kahvaltı, haydi yine toplantı! Çok güzeldi vallahi. Bugün böyle aceleye gelecek!"**

Inınının!!!

Yahu ben bir iki saat oturup kaçacaktım.

Kahvaltı randevum vaar, manikürüm pedikürüm vaar, Beyoğlu programım var, sinemam vaaar.

"Affedersiniz, herkes bilgisayarcı galiba, ben niye buradayım?"

Oh, sordum kurtuldum. Ama cevap çabuk ve kesin:

"Sizi trendsetter kategorisinde davet ettik, toplumdaki yeni modalardan, eğilimlerden haberiniz vardır, bize büyük faydanız dokunur."

"A eveet, tabii. Benim bir iki saat faydam dokunsa, sonra kaçsam."

"Aaa, vallahi olmaz, daha öğle yemeği yiyeceğiz."

"Ayrıca, diğer trendsetter'lar nerede? Modacılar, sanatçılar, şunlar bunlar?"

Kısa bir sessizlik.

"Şimdi tabii, filancayı da davet edecektik, falancayı da, ama internete daha aşina isimler olsun istedik. O zaman da bir tek siz kaldınız."

İş anlaşılıyor.

Bugün burada bütün trendsetting işlerine ben bakacağım! **Ne kadar trend varsa getirin, set etmeye çalışırız.**

Sebep, ya hakikaten modacı, sanatçı tayfasının internete özel bir ilgi duymaması, ya da kimsenin, bir cumartesi sabahı, dönüp dönüp bir daha uyuyacağı saatlerde, portaldı, servis sağlayıcıydı, bu mevzularda "beyin fırtınası" yapmayı tercih etmemesi!

Her durumda da, bizim manikür pedikür işi iptal gibi görünüyor.

Ellerimizde kâğıtlar, dosyalar, kalemler, sınıfa girer gibi, toplantı salonuna giriyoruz.

Bu sanal olaylar beni aşar!

Şunu itiraf etmem gerek. Ben hakikaten kendimi, en azından iyi bir internet kullanıcısı zannediyordum.

Hatta amatör şekilde, iptidai web-siteleri hazırlamayı bildiğim gibi, bir zamanlar hiç de fena olmayan bir mizah sitesinin kuruluşunda da içerik ve şekille ilgili katkılarım olmuştur.

Ancaaak...

İş çığırından çıkmış sevgili okuyucular!

Bu insanlar bir aldılar sazı ellerine, çık işin içinden çıkabilirsen.

"Arkadaşlar, voice commerce aldı başını gidiyor. Ayrıca portal mı servis sağlayıcı mı olma kararı da önemli."

"Elbette. Silent commerce'den de bahsetmek lazım. Online hayatlarımızda bizim gelişmiş CRM yaklaşımımızın payı büyük. Ama yine de multi access portal stratejisine yüklenmek lazım."

Hayır, İngilizce problemimiz yok çok şükür ama, bu durum, Azerice dinlemek gibi. Her kelimeyi teker teker sanki anlıyorsun, ama bir araya gelince, Çince!

"E ben bir kahve alayım," diye cevap vermek kalıyor bana da.

Şeytan diyor ki, bugüne bugün trendsetter isen, konuştur uzmanlığını, gir Bazaar dergisinin orta yerinden:

"Marc Jacobs'ın yaptığı o tavırlı militer ceket, sizce yeni yüksek belli pantolonlar ve Yves Saint Laurent'in kadife ve deri sandaletleriyle giyildiğinde tasarım açısından bir mesaj mı verir, yoksa moda kuklası olduğunuzu mu gösterir?"diye sor.

Bakalım ne diyecekler!

Aydınlandım, öğrendim, ve fakat âcizane üç beş önerimi dile getirdikten sonra, strateji belirleme konusuna girmeden, yemek arasında teşekkür edip sıvışıverdim.

Bu trendsetting işi zaten başlı başına bir konu.

Bugün trend her gece dışarı çıkmaksa, gelecek yıl ev partileri moda oluyor.

"In- out" listelerinin ilk yapıldığı çocukluk günlerimizden beri evde oturmakla dışarı çıkmak, uzun etekle kısa etek, lüks yaşamakla mütevazı görünmek, evlenmekle bekâr olmak arasında gidip geliyor "trendsetter" güruh!

Onlar da şaşırdılar artık.

Elâlemin trendsetter'ı da ona göre. Madonna'nın yediği, Tom Ford'un diktiği, birkaç gün içinde dünyada hakikaten moda oluyor.

Bizde öyle mi ya? Sadece golf oynamakla, suşi yemekle, Yoshi Yamamoto tasarımı Adidas ayakkabı giymekle kalmıyoruz ki.

Aklıma Esin Maraşlıoğlu'nun blucininin içinden çıkan iç çamaşırı geliyor hemen.

Sonra tek el havada, Türkçe şarkılı, gay şarkıcılı barlara gidip peçete saçmak, ceket yakmak. St. Moritz'e gidip, pardon St. Moritz'i işgal altına alıp otellerde kuzu çevirttirmek.

Bu örnekler söz konusuysa, bana yakıştırılan trendsetter'lığı aynen iade ediyorum!

Trend yaratmak kolay iş değil tabii.

Bir kere iki kurala muhakkak uymanız gerekir:

- **Ender görülen ve anatomik, gastronomik ve sosyal alışkanlıklarımıza ters bir şey olacak.** (Bkz: Kalçada duran pantolon, soyadan peynir, sabah bire kadar evde oturup, ondan sonra gece hayatına akmak...)
- **Ya çok uzun zaman önce terk edilmiş ya da uzun zaman tutmayacak, tuhaf bir eğilim olacak.** (Bkz: Eve taş fırın koyup kendi ekmeğini yapmak, kâğıt elbiseler, sevgilisiz ve eşsiz, aseksüel yaşamak.)

Bir trendin tutup tutmayacağı testini şöyle yapabilirsiniz:

"Artık herkes..."le başlayan bir cümlenin sonunu, bulduğunuz abuklukla doldurabiliyor, ve bunun havalı bir derginin kapağına yazıldığında yadırganmayacağını, tam tersi, satış artıracağını düşünüyorsanız, siz artık bir trendsetter'sınız!

"Artık herkes kebabı soğuk yiyor" bak olmadı!

"Artık herkes gay!" yaa, bak oldu!

Trend'de mantık arama!

Demek ki, trendin trend olup olmaması, hayatta gerçekleşmesi ihtimaline değil, kulağa nasıl geldiğine bağlı!

Takdir edersiniz ki, "herkes", kimse bu herkes, cinsel tercihlerini değiştirmektense, kebabı soğuk yemeyi tercih edebilir.

Yani ilk trendin katılımcısı kesinlikle daha fazla olacaktır. Ama önemli olan bu değil, onu diyorum yani.

Benim nasıl trendsetter olduğuma gelince, tamamen, iş hayatında gencecik bir muhabirken, Aktüel'de beraber çalıştığım abla ve ağabeylerimle ilgili bir konudur.

Yıl 1991. Aktüel yeni çıkmaya başlamış. Kadro acayip. Türkiye'nin en iyi ekibi. Ve fakat o yaş grubu gazetecilerin hepsi 70'li yıllarda, şu veya bu şekilde bir siyasi görüş sahibi olduklarından, çoğunun bir miktar içeride yatmışlığı var. Yine takdir edersiniz ki, insan bir süre hapiste kaldıktan sonra, öyle hemen gece hayatına, trendlere falan dalamıyor!

Bu sebeplerden, Aktüel'e girdiğim günden itibaren "trend, sosyete, eğlence ve diğer boş işler sorumlusu" ben oluverdim.

Haftanın trendi: Bikini izi!

Zaten yaş 19, şikâyetim de yok.

Her hafta toplantıda soruyorlar: "Eee, ne trendler var bu ara?" diye. Ben de kendimi paralaya paralaya bir şeyler bulmaya çalışıyorum.

O dönemin havalı eğilimlerinden bir hafta techno yazıyorum, bir hafta çevrecilik, öteki hafta Ortaköy'de rock barlar. (Tabii, işte böyledir, bugünün trendi, yarının demodelik abidesi).

Aradan yedi sekiz ay geçti.

Ben eteğimde ne varsa dökmüşüm. Her hafta trend bulunur mu? Bir toplantıda "Tamam," dedim, "bu kadar benden. Bir ay bekleyelim bari, sonra yine bir şeyler çıkar."

Ortalık karıştı. O esnada Vivet Kanetti, müthiş bir fikir getirdi:

"Kendi trendimizi kendimiz yaratalım!"

"Mesela?"

"Meselaaa, bikini izi! Hani yanarsın da, bikinin altındaki bölgeler beyaz kalır. Onu moda edelim!"

Birkaç erkek de "A hakikaten, çok seksi olur hatta," der demez, Vivet aldı sazı eline:

"Tabii ayol. Nedir ki? Niye bu kadar abartıyorsunuz? N'olacak? Biz trend yaratmayacağız da kim yaratacak?"

Toplantıda bazıları onaylayarak hep bir ağızdan konuşmaya başladı.

Ben, işe bilimsel yaklaşarak itiraz ediyorum: "Yok ki böyle bir trend! Bir tane yapan bulun bakalım, yok ki öyle bir şey," diye.

Beni destekleyenlerle, Aktüel'in kendi trendini "yaratması" gerektiğini düşünenler ikiye ayrıldı!

Kavga dövüş, iş, karşılıklı "Sizin kompleksiniz var" suçlamalarına kadar gitti ve neyse ki, "Underground Lezbiyenler" haberinin gündeme gelmesiyle duruldu!

O bikini haberi asla yapılmadı.

Herhalde benim itirazlarım ve pratik zorluklar yüzünden. Plajlar henüz dolmamıştı ve zannederim görsel malzeme eksikliği vardı!

Ama şimdi bazı dergileri elime alınca, "Hah," diyorum, "işte bunlar yapmış!"

İnsan trendin kendine gelmesini beklememeli.

İnek trende bakılır gibi bakılmaz, herkesi boş vereceksin, kendi trendini kendin set edeceksin.

Bu yazının en manalı mesajı da buydu gerçekten!

WALKMAN İNTİHARLARI

80'li yıllardı, walkman'ler yeni çıkmıştı.

Şöyle bir söylenti çıktı: "O walkman'ler var ya. İnsanları yalnızlığa itiyormuş. Uzun süre kullananlar sonunda intihar ediyorlarmış."

Herkes düşünmeye başladı...

Walkman, yani kulaklıklı kasetçalar bunu yapabiliyorsa kimbilir telesekreter ne yapar? Ya da yoğurt makinesi?!

Özellikle kadınların işini kolaylaştıran yenilikler, ev hanımları tarafından mucize gibi karşılanır.

Merdaneli çamaşır makinesi çıktığında kadınlar şöyle dedi: "Müthiş bir buluş. Oh be, işimizin yarısı bitti."

Bu olay 60'lardaydı, ve bu tarihten sonra otomatik çamaşır makinesi, bulaşık makinesi, çamaşır kurutucu, elektrik süpürgesi, mikrodalga fırın, mikser, ve binbir türlü ezme, sıkma, doğrama, pişirme aleti icat edildi...

Ev kadınları hâlâ sürekli yorgunlar ve işten şikâyet ediyorlar!

Ben biliyorum ki, bir bu kadar alet daha çıksa, yine şikâyet edecekler.

Gerekçe de şu: "Evin işi bitmez!"

Ev, kendine ait bir bilinci olan, canlı bir organizmaymış ve bu icatlara sinir oluyormuş gibi bir durum.

Eve alet alındıkça, ev direniyor.

DOST CANLISI BİLGİSAYAR

Teknoloji o kadar hızlı gelişiyor ki, biz ayak uydurup nasıl çalıştığını öğrenene kadar başka bir model icat ediliyor.

Hâlâ bilgisayar kullanmayı bilmeyen ve bu işe çekingen duran insanlar var. Çok da haklılar. Kolay değil.

En sonunda, bir süre önce, teknoloji firmaları insanların bu korkularını keşfetti ve aleti alan insanın, daha kolay anlayacağı, daha basit, daha insancıl kullanma şekillerine sahip modeller üretmeye başladılar.

Bunun adına da 'user friendly" dediler.

Yani, kullanıcı için daha basit programlar, bakınca hemen anlaşılan, özel bir eğitim gerektirmeyen modeller anlamında. Mesela, açılış düğmesi yeşil, kapanış düğmesi kırmızı gibi, herkesin anlayacağı özellikler.

Bu "user friendly" kavramı, Türkiye'ye bire bir tercüme olarak girdi: "kullanıcı dostu".

Kullanıcı dostu bilgisayarlar, cep telefonları.

Şimdi tabii biz, daha duygusal insanlarız. Yani öyle Amerikalının, Almanın dost kavramıyla bizimki örtüşmez. Bizde dost gereğinde canını verir!

"Borç verir mi bu bilgisayar?"
"Yoo!"
"Derdini dinler mi?"
"Yoo!"
"Senin için kavgaya girer mi?"
"Yooo!"
Hani kullanıcı dostuydu?
"İşte efendim, kapatma kırmızı, açma yeşil."
Bu mu dostluk?!
Tercüme edince olmaz. Kullanıcı dostu bilgisayar dersen, adam geçer bilgisayarın karşısına:

"Abi, Ayşe beni terk etti."
"Lütfen seçeneğinizi girin."
"Ayşe beni terk etti diyom oolum!"
"Lütfen seçeneğinizi girin."
Büyük hayal kırıklığı!
"Böyle dost olmaz olsun!" diye pencereden fırlatır aleti sonra.
Ya başka çözümler bulacaksın, ya da telefonda yardım hatları kuracaksın, gerçek bir insan çıkacak, nasıl çalışıyor alet anlatacak. Teknolojiden dost most olmaz!

HAVALI ARABALAR

Piyasada en çok tutulan ve en havalı binek araçlarını sayalım: Üstü açık arabalar, motosikletler.

Yani, tekerlekli bir şeyin havalı sayılabilmesi için, illa ki tepeden yağmur alması ve insanı soğukta dondurması lazım!

Ben katılmıyorum şahsen.

Üstü açık arabalar bir kere toz yutmaktan başka bir işe yaramaz. Gelen geçenin park halindeyken içine çöp atması da ayrı bir konudur!

Eskiden, sıcak yaz aylarında, püfür püfür oluyor diye yapmışlar bunları. E şimdi klima diye bir şey var. Yani nedir? Üstü açık arabanın dönemi bitmiştir arkadaşlar.

Motosikletler de ayrı konu.

Güya, tercih sebebi, bir yerden bir yere çabuk ulaşmak.

Motokuryelerle pizzacıları tenzih ederim, onların dışında benim motosiklete binen hiçbir tanıdığım, aslında bir yerden bir yere çabuk ulaşması gereken insanlar değil!

Yani ne bir borsacı ne bir doktor.

Ya müzisyen ya ressam, ya öğrenci, ya boşta gezer! Nereye yetişiyorlar çözebilmiş değilim.

Ama olay bu zaten. Motosikletler ve bazı arabalar başlı başına gurur ve hava atma kaynağı.

KOZMİK MODACILAR

Bazı modacılara çok üzülüyorum.

Yetenekli insanlar, fakat tutup dünyanın en tuhaf elbiselerini yapıyorlar. Dallar, tüyler, metaller, şapkalar.

Sonra da anlatıyorlar:

"Bu kıyafette, Birinci Dünya Savaşı'nın acılarına bir gönderme var!"

"Bu kıyafette, insanın evrendeki kozmik yalnızlığını anlatmaya çalıştım!"

Bırak kardeşim, anlatma!

Kadının kalçası geniş, zayıf gösterecek bir şeyler arıyor, olay bu! Senin kıyafetini kimse almaz.

Bunların bu halinden faydalanan uyanık girişimciler de, modadan hiç anlamadıkları halde, şöyle şeyler çıkarıyorlar: Zayıf gösteren çorap, göğüs büyüten korse.

Kapış kapış gidiyor, adamlar milyon dolarları vuruyorlar.

Sen kozmik olayı çözmüşsün, ama evin kira, ne işe yarar?

PUL BİBERLİ PİZZA

Hayatımız taklit!

Amerikalı acıkınca eve pizza veya Çin yemeği getirtiyor, çünkü İtalyan ve Çinli göçmen çok, onların hazırladığı yemekler de ucuz.

Türkler de eve pizza getirtiyor ama, ben Türkiye'de hiç İtalyan göçmenle karşılaşmadım!

İtalyan mahallesi de yok bildiğim kadarıyla.

Bizimki biraz özenti, Amerikan filmlerinden bir sahne.

"Hey dostum, üzgünüm, bu gece çıkmayacağım, bir pizza ısmarlayıp televizyondaki maçı seyretmeyi planlıyorum ahbap!"

Birincisi, hangi gece çıkıyorsun ki bu gece çıkmayacaksın?!

Ayrıca çıksan nereye gidiyorsun ki? En fazla pizzacıya!

İkincisi, seyredeceğin maç beysbol değil, futbol maçı. Bu ne havalar?

Bunlar siparişi verirken de şöyle derler:

"Aaah, selam ahbap, bize bir orta boy pen pitza ve üzerine extra extra cheese!" Sonra aniden uyanırlar: "Bir de abi, sucuk da koyabiliyor musunuz? Sucuğu bol olsun gözünü seveyim! Bi dakka, abi sizde pul biber var mı?"

PİIIFİIİNG!

Hayatta bir sürü saçmalığı, karşı cinsi etkilemek için yapıyoruz.

Düşünsenize... Neden erkekler saatlerce ağırlık kaldırıp pazularını şişirmeye çalışırlar?

Veya soğuk havalarda dekolte giymenin mantığı nedir?

Bunlar yine klasik örnekler. Gençlerin yaptığı bazı şeyler daha da saçma. Mesela dövme yaptırmak. Veya şu piercing hikâyesi.

Bazıları kaşını, burnunu, göbeğini veya çenesini deldiriyor.

Kimileri de, dilini deldirip oraya küpe takıyor!

Ama sorsanız, hiçbiri daha seksi olmak için, karşı cinsi etkilemek için, trend diye yaptırdığını itiraf etmez.

Mesela o dilini deldirenler, niye deldirdiniz diye sorunca şöyle diyor:

"Kenfimi bu fekilfe ifafe efiyoum!"
Çok güzel ifade ediyorsun!
Bir de konuşabilsen, kimbilir neler söyleyeceksin.
Trendler yüzünden başımıza gelenler utanç verici.

MACERAPERESTİZ, ÇÜNKÜ MODA!

İnsanlar, hiç gerek yokken, tehlikeli şeyleri niye yaparlar?
Maden işçilerinden falan bahsetmiyorum tabii.
Benim gıcık olduklarım, zevk için ve moda diye atlayanlar, zıplayanlar, uçanlar, tırmananlar, hız yapanlar.
Bunlara ekstrem sporlar deniyor biliyorsunuz.

Bu grubun en komik üyeleri de, şehir içi tatil parkları ve üniversite kampuslarında düz duvara tırmananlar!
"Sanal dağcı" da diyebiliriz onlara!
Düz duvara, ufak oyuklarla sahte dağ yapmışlar.
Giyiyorlar dağcılık kıyafetlerini.
Kendilerini iplerle bağlıyorlar, sonra plastik dağa tırmanıyorlar.
"Ahh, yakaladım seni! Dayan, yaşasın zirveye çıktık" falan filan...
Yükseklik zaten 5-6 metre.
O arada, aşağıda arkadaşları, ellerinde çaylar muhabbet ediyorlar...
Bir yerden türkü çalıyor.
Piknik yapan aileler, havuza girenler, hamburgerci, çoluk çocuk koşuşuyor. Ama bunlar hâlâ, Everest'in zirvesine vardım varacağım ayaklarında.
Sonra da nefes nefese anlatıyorlar: "Adrenalin böyle müthiş, insan bağımlı oluyor yani."
Kardeşim bunun hapı mapı yok mu?
Al bir tane, evinde otur, macera filmi koy, playstation falan oyna, heyecanlan.
Hayır, bir sakatlık çıkacak, onun için söylüyorum.

SPORCUNUN SPOR YAPMAYANI MAKBULDÜR!

Spor olsun diye!

Saatlerce kan ter içinde yürüyüp hiçbir yere varamamak! Spor kulüpleri için böyle düşünüyorsam, neden gidip birine üye oldum?

"Spor yapacaksınız," dedi doktor.

Acıklı acıklı yüzüne baktım.

"İkide bir belim, boynum, dizlerim ağrıyor diye bana gelmeyin. Hasta değilsiniz. Spor yapmanız lazım."

"Ben hayatımda hiç spor yapmadım," diye tısladım, hayat prensiplerimden birini açıklıyormuşum gibi. "Ben hayatımda rüşvet almadım", "Ömrümde kimsenin arkasından konuşmadım", "Asla kalemimi satmadım," dramatikliğinde...

"Utanmadan söylüyorsunuz bir de. Artık başlayacaksınız," dedi ve kestirip attı doktor.

Hayatımız ellerinde ya...

Hangi muhasebeci "Bugünden tezi yok adam gibi defter tutacaksınız, yoksa bana gelmeyin!" diye kesip atabilir?

Hangi reklamcı müşterisine "Ne bu eski kampanyanızın hali, ne yaptınız siz?" diye hesap sorabilir?

Evinizi yaptırdığınız hangi iç mimar "Utanmadan art-deco seviyorum diyorsunuz ha, bundan böyle art-deco hayatınız bitmiştir!"diye sizi azarlayabilir?

Doktorlar bilim adamıdırlar, ve gerçekten de hepimizin sefil mesleklerinin üstünde bir işle uğraştıklarından, **yaptıklarınızı eleştirme, sizi paylama, hayatınıza kimsenin koyamayacağı kurallar koyma ve bir de üstüne para alma hakkına sahip tek meslek grubudurlar**.

Çünkü sağlık söz konusu olduğunda akan sular durur...

Aynı sebepten, spor yapmaya karar verdim.

Entelektüeller niye sportif olmaz?

Oysa sporla, zekâ ve entelektüellik arasında ters orantı olduğuna inananlardandım hep.

Amerikan filmlerinin stereotiplerinden etkilenmiştim belki: **Zayıf, gözlüklü, entelektüel çocuk, uzun boylu, geniş omuzlu, okulun rugby takımının iri yarı, salak kaptanına karşı.**

Ama o zaman neden dünyanın kültürel açıdan en zengin şehirlerinden biri olan New York'ta bütün insanlar zayıf, solgun ve hımbıldı da, tam öyle bir New York'lu olan Woody Allen'ın dediği gibi "Tek kültürel avantajı kırmızı ışıkta sağa dönebilmek olan Los Angeles", bir kas, geniş omuz, spor salonları, plaj voleybolu ve yanık ten cennetiydi?

New York'ta da spor kulüpleri vardı şüphesiz.

72. Cadde'yle Broadway'in köşesindeki yer mesela. Bütün yürüme bantlarının yüzleri, caddeye bakan cama dayanmıştı ve dışarıdan görülebiliyorlardı. Özellikle akşam saatlerinde Manhattan'ın en yoğun metro istasyonlarından biri dolup boşalırken, insan-

lar evlerine, restoranlara, caz kulüplerine, şiir okuma seanslarına, sinemalara, tiyatrolara, sevgililerine koşarken, **spor salonundakiler, ter içinde, oflaya puflaya, saatlerce yürüyüp hiçbir yere varamıyorlardı!**

Hayatı kaçırmanın daha yorucu bir yolu olabilir mi?

Özellikle bu spor salonlarına sinir oluyordum.

Basketbol oynarken, yüzerken, bisiklete binerken, golf topuna doğru yürürken, eğlenen, keyif alan insanlar çoktu. Ama yürüme bandında gülümseyen, ağırlık kaldırırken kahkaha atan, kürek aletinde cıvıldayan kimseyle karşılaşmamıştım.

Uçak yemeği, mutfak kültürü için neyse, bu kulüpler de spor için öyle bir şeydi. Kompakt, dar, çabuk, heyecansız, tatsız ve sahte.

Neden gürbüz, kırmızı yanaklı, kaslı bir entelektüel tanımıyordum? Entelejansiya en başta spora yeteneksiz olduğu için mi kendini okumaya verip entelejansiya oluyordu?

Yoksa spor yapmak, insanı sığlaştırıyor muydu?

Ömrünü iki sene uzatmak için onlarca yılını terleyerek geçirmeyeceğini söyleyen, kendim gibi, spor düşmanı arkadaşlarımdan birini aradım ve spor yapma kararımı açıkladım.

"Sen son kalemizdin," dedi ve telefonu suratıma kapattı!

Ve ben o nefret ettiğim spor kulüplerinden birine üye oldum.

Spor hayatım başladı, raakiplerim korksun!

"Ne giyeceksin?"

(En sportif arkadaşlarım **Sex and the City** kızlarıyla öğlen yemeğindeyim. Çok alışveriş yaptıkları, geceleri çıktıkları ve bekâr oldukları için onlara Sex and the City kızları diyorum. Her akşam iş çıkışı aynı spor salonuna gidiyorlar. **Hepsinin çok kaslı kolları, yanık vücutları var ve somonlu salata yiyerek yaşıyorlar**.)

Tek spor kıyafetimin 80'li yıllarda, ortaokuldayken aldığım siyah tayt ve mayo olduğunu anlattım.

Aerobik yeni çıkmıştı. Ben de bir kez denemiştim.

Sex and the City kızları dehşete kapıldılar!

Sosyetik isimler, Chanel'in spor ayakkabıları, DKNY'un eşofmanları, jimnastik mayolarının demodeliğiyle ilgili uyarılar havada uçuştu.

Derken kulübe gelmeden önce kuaföre giden, makyaj yapan, dolayısıyla spor yaparken terlememeye çalışan kadınlarla dalga geçmeye başladılar. Anladığım kadarıyla süsü püsü abartmamak, ama şık olmak, muhakkak hafif bir makyaj yapmak ama saçın fönlü olmaması esastı. **Bıçak sırtı bir denge yani!**

Uzun zaman aradıktan sonra askılı bir üst ve düşük belli bir eşofman altında karar kıldım ve spora başlamak gibi mühim bir konuda ikinci bir doktordan görüş almadığıma yanarak kulübe gittim.

Karın kaslarım eksikmiş!

Müzik, bakışlar, nanemsi bir koku. Bir de kalabalık. Üfff.

Gelecek haftalarda neyi kaç kere kaldıracağıma, hiçbir yere varamadan kaç dakika yürümek zorunda olacağıma karar verecek insanla tanıştım: Çalıştırıcımla.

"Önce durumunuza bir bakalım," diye gülümsedi bembeyaz dişleriyle, o ve kasları.

Beni yürüme bandına çıkarıp, kondisyonumu ölçmek için bir program verdi.

20 dakika sonra perişan haldeydim. Çalıştırıcım ve kasları koşar adım gelip, makineye bakarak aynı donuk gülümseyişle sonucu açıkladılar:

-Rezalet, hahaha!

-Nesi rezalet?

-"Poor" çıktınız.

-İyi ya işte, bir de "Very poor" var. Demek en kötüsü değilim. Ayrıca ben hayatımda hiç spor yapmadım.

-Belli, hahaha!
-Nereden belli?
-Kollarınızdan.
-Ne var kollarımda?
-Çırpı gibi. Hahaha.
-Bundan sonra vereceğiniz programda aklınızda olsun. Kollarım böyle kalacak! Çırpı gibi.
-Hahaha!
-Komiklik olsun diye söylemiyorum. Kas yapmak istemiyorum.
-Niye spora başlıyorsunuz o zaman?
-Doktor söyledi.
-Yaş kaç?
-29, peki 30.
-Haa anladım, hahaha.
-Neyi anladınız?
-Yaşlanma panikleri! Onun için spora başlanıyor! Hahaha.

Öyle bir bakış atmışım ki, çalıştırıcımın gülümsemesi ilk defa söndü ve dişleri görünmez oldu. Bana karın egzersizleri verip, yüzüme bakmadan, kaçarcasına uzaklaştı.

Diğer insanların aksine karın kaslarımın olmadığını, on beş dakika yerde kıvranıp, sadece üç mekik çekerek nefes nefese kaldıktan sonra anladım.

Bu tıbbi tespitimi kime söylesem bana inanmayacaktı. Giyinip bir daha dönmemek üzere çıktım.

Dışarıda insanlar sinemalara, restoranlara, arkadaşlarına, partilere gidiyorlardı. Sevinçle aralarına karıştım...

YAĞLI GÜREŞ

Milletlerin geleneksel sporları var.

Kuzey ülkeleri karla buzla savaşıyor, hepsi kayakçı. Afrikalı vahşi hayvanlardan kaçmaya alışkın, onun için iyi koşuyor falan filan.

Türkiye'de iklim yumuşak, bitki örtüsü şahane, savaşacak herhangi bir uygunsuz şart, özel bir ihtiyaç falan pek yok.

Onun için atalarımız, önce can sıkıntısından, aralarında güreş tutuyorlar.

Sen yendin ben yendim derken, bakıyorlar ki, sadece iklim iyi değil, insanlar da çok güçlü, hemen yeniyorlar. Karşılaşmaların tadı tuzu yok.

Bu çok kolay oldu, zorlaştıralım deyip, yağlı güreşi buluyorlar!

Güreşçilerin rakipleri vıck vıck diye kayıyor, iş biraz daha zorlaşıyor. Bu şekilde bir süre daha idare ediyorlar.

Ama Türkler güçlü, o da basit gelmeye başlıyor. Diyorlar ki, bu sefer de kollarımızı kullanmadan güreşelim! Daha da zor olsun.

Tamam, hadi derken, Birinci Dünya Savaşı çıkıyor, güreşe müreşe vakit kalmıyor!

Yoksa bambaşka bir spor dalı icat edilmiş olacak.

Tabii bunlar benim teorilerim ve hiçbir tarihi gerçeğe dayanmıyor. Ama kendi içinde mantığı da var, itiraf edin!

FUZULİ SABAH KOŞUSU

Özellikle ağaçlı semtler ve bahçeli sitelerde sabah manzarasıdır: İnsanlar eşofmanlarıyla koşuya çıkarlar.

Düşünebiliyor musunuz?

Sabah saat altı! Sıcak yataktan kalk, giyin, kahve iç. Buz gibi havaya çık. Koş Allah koş.

Hayır saat daha çok erken, nereye yetişiyorsun?

Niye yapılır bu?

Aşk için yapılabilir. Seyahate çıkılıyorsa yapılabilir. Zam almak için olabilir.

Oysa jogging meraklıları, bunu sadece dışarı çıkıp koşmak için yaparlar.

İlk insanın koşmak için sebebi varmış. Kaçmak veya yakalamak.

Yeni koşucularınsa tek amacı var: Spor!

Evde yapın. Akşam üstü yapın. Niye koşuyorsunuz? Dans edin, hulahup çevirin.

Amaçsızca, hiçbir şeyden kaçmadan ve hiçbir şeyi kovalamadan koşmak o kadar sıkıcıdır ki, sabah koşucuları walkman'siz evden çıkmaz. Sıkıntıyı yenmek için müzik dinlerler.

Dünyada başka hiçbir canlı, kendine, bu kadar uzun, düzenli, yorucu ve sıkıcı bir işkence yapmaz. Bu, insanoğluna özeldir!

SU BALERİNLERİ

Bazı sporların çıkış noktası belli. Mesela koşu, belli ki kaçarken ortaya çıkmış, yüzme, suda boğulmamak için...

Voleybol, basketbol, el ve ayak becerilerini geliştirmek için faydalı... Eğer o topu kontrol edebiliyorsanız, karpuz, kalem, terlik her şeyi havada tutup atabilirsiniz! Veya soğuk ülkeler için buz pateni, kayak. Hepsi günlük hayatta faydalı şeyler.

Bir de bizim sonradan uydurduğumuz sporlar var.

Mesela şu ucunda kurdele olan sopayı sallayarak yapılan jimnastik hareketleri. Hani yere yatarlar, ayağa kalkarlar, kurdeleyle havada desen yaparlar.

Hayatta böyle bir durumla karşılaşma ihtimaliniz ne? Havada, ucuna kurdele bağlanmış sopayla harfler çizmek ne gibi bir ihtiyaca hizmet ediyor?

Su balesi de böyle.

Madem dans edeceksin, niye suda?

Bunların çoğu bence, aslında balerin olmak istemiş kızlar.

Bale hocaları bunlara: "Yok yavrum, sen çok iri yarısın, senden balerin falan olmaz. Hadi bakiim. Git folklor molklor oyna, ya da iyisi mi gülle at!" dediği için hırs yapmışlar!

Çalışıp didinip su balesi öğrenmişler.

Zaten o hırsı, asansör müziğiyle su balesi yaparken görebiliyorsunuz. Yüzlerinde hep hırs ve sinir dolu bir gülme ifadesi var!

Zannetmeyin ki burunları mandallı, nefes alamıyorlar, onun için. Hırstan! "N'aber hocam? Bak balerin oldum, hem de en kralından! Hıı, naber? Hıı? Nıhıhahaha!" yapıyorlar.
Gergin gülümsemenin sebebi o.

TARLABAŞI'NDA ESKRİM

Şimdi diyeceksiniz ki, sen de hiçbir sporu beğenmiyorsun.
Evet.
Ben genel olarak spora sinir oluyorum!

Yani bir insanın her yere arabayla gidip, televizyonu uzaktan kumandayla açıp, bütün gün oturup, sonra özel giysilerle gidip, kapalı bir yerde, sahte bir hareketlilik yapmasına, sebepsizce koşup atlayıp zıplamasına sinir oluyorum.
Son zamanlarda kafayı taktığım sporların arasında klasik savaş sporları geliyor. Yani eskrim, atıcılık, okçuluk.
Tamam çok şıklar, çok havalılar. Ama bir problem var. Uzak Doğu dövüş sporlarını örneğin, sokakta da kullanabilirsiniz. Biri çantanı çarptı, koş arkasından, uçan tekme at. Biri saldırdı, hemen kungfu numaraları..
Yani kendini savunmayı öğreniyorsun.
E ötekilerin böyle bir özelliği yok ki.
Gece, yalnız, Tarlabaşı'nda yürüyorsun.
Her şeyden önce yürüme. Niye gece yalnız başına Tarlabaşı'nda yürüyorsun?
Hadi diyelim ki yürüdün.
Adamın teki geldi, çantanı kaptı, (ki bu diğer ihtimallere göre iyimser bir tahmin) kaçtı.
Ne yapacaksın?
"Haha, ben milli eskrimciyim, kılıcım da yanımdaydı. Çıkarayım. Hahayt!"
Kılıcı bırak, sen o beyaz streç kıyafetleri giyene kadar, adam Beyoğlu'na varır!

Okçuluk da öyle. Çantanı kapıp kaçan arabanın lastiğine ok mu atacaksın?

Atıcılık daha da beter, suç. Zaten onlardan sokakta çok var, o açıdan çok da banal bir spor. Yani tenisçiden çok atıcı var anladığım kadarıyla, en çok ilgi gören sporlardan biri Türkiye'de.

Ama diyelim ki, bunlardan birine merak saldınız. Size tek tavsiyem var:

Dikkat ediniz. Kenara değil, tam ortaya!

KAYAK MEVSİMİ

Kıştan ve kış sporlarından nefret ederim.

Soğuk ve karın en iyi tarafı, güya, kartopu oynamak, kardan adam yapmaktır.

Aslında kartopu oynamak ılıman iklimlere özgüdür. Tamamen, soğuk ve kar görgüsüzlüğünün belirtisidir!

Alaska'da insanların kartopu oynadığını zannetmiyorum. Kardan adam yapsalar, o adam sonsuza kadar yaşar!

Olsa olsa karı evin içine alıp, erimesini seyrederek eğleniyorlardır.

Kar ve kış gibi, kayaktan da nefret ederim.

Amaçsız bir spordur. Dağın tepesine çıkıp çıkıp aşağı inersiniz.

Ayrıca yolda donma, sakatlanma tehlikesi de cabası.

Bazıları bayılır kayağa. Nefes nefese, burunları kırmızı ve sümüklü, gelirler: "Bu sefer daha hızlı indim."

Aferin sana, aşkolsun doğrusu!

Sen mi iniyorsun ki? Yerçekimi var!

O ayağındaki kayaklar, sen olmasan da, tepeden bırakınca kaya kaya aşağı inecek.

Yani, sana ait bir başarı yok aslında.

Dağ tatillerinde kayağı boş verin. Oturun kar manzarasının önüne, şöminenin karşısına, kahve içip kitap okuyun...

YÜRÜMEK BİLE ZOR!

Evrim teorisini, üç aşağı beş yukarı biliyorsunuz.

İnsanoğlu dört ayak yatay pozisyonda hareket ederken, yavaş yavaş iki ayaklı olmuş. Yani dikey yaşamaya başlamış.

Çok güzel. İnsanız, zekiyiz, farklıyız, diğer kıytırık yaratıklar yatay gezerken biz dimdik yürüyelim falan da...

Fiziğe aykırı!

Olmuyor işte, oluyor mu?

İkide bir düşüyorsun.

Hiç yürürken aniden tökezleyen, kafa üstü düşen kedi gördün mü?!

Halbuki, mesela ben, düz yolda düşerim!

Neden? Denge!

Ufacık iki ayak, koca vücudu taşıyamıyor!

Hayır, masalar bile durduğu yerde dört ayaklı! Nedir bizdeki bu kendine güven?

Sonra, tabii, eve gelir gelmez, özüne dönüp yatay duruma geçiyorsun.

Ayak uzatmalı sandalyeler, dev kanepeler, uzaktan kumanda.

Zannediyoruz ki tembellikten. Hayır.

Yatay duruma, yani tabii halimize geçmeye ve orada mümkün olduğu kadar kalmaya çalışıyoruz!

Ayakta durmak ve yürümek çok zor. Ayrıca da bunun, rahatına düşkün olmakla hiç alakası yok.

Biz hâlâ evrimi tamamlamaya çalışıyoruz!

YOGA, ORGANİK GIDALAR,
VEJETARYENLİK, DOĞAL HAYAT...
SAKIN EVDE DENEMEYİN!

Neden yogaya başladım?

Kahve, kırmızı et, hırs ve stresle beslenen kentli arkadaşlarımı terk edip, tütsü-yoga-doğal hayat grubuna nasıl katıldım? Ben bunu nasıl yaptım!

"Yoga yap," dediler.

"Hem spor hem gevşeme. Vücudu güzelleştiriyor. İnsanın ruhu da dinleniyor."

Şehir dışında yaşayamadığım, sessizlikte daraldığım, kırsal alanlarda bunalım geçirdiğim için, şüpheliydim.

Sığ bir kategorizasyon vardı kafamda:

Kentli doğmuş kentli insanlar hava kirliliğinden çok şikâyet etmezler. Şehrin gürültüsünü severler.

Hırsa, kırmızı ete, deri giysilere bayılırlar.

Kahvesiz ve televizyonsuz yaşayamazlar. Börtü-böcekten hoşlanmazlar.

Tatil günlerinde geç kalkarlar. Gece yaşamayı, dozunda stresi, hızı, ve kapitalist sistemin bütün olanaklarını severler.

Kentte doğmuş doğal hayatçılar ise şehirde olmaktan sürekli şikâyet ederler, hatta bazen şehir dışına yerleşirler.

Vejetaryen olurlar.

Kök boyalarla boyanmış batik giysiler giyerler, bitki çayı içerler.

Hint müziği dinlerler, erken yatarlar, yarışmazlar, acele etmezler.

Bir de yoga ve meditasyon yaparlar.

İki gruptan birbirine geçiş de yoktur.

Bakış açım buydu, ve hep birinci gruptakilerden olmuştum!

Sitar sesine, ham dokuma giysilere, tütsüye ve tofu'ya karşıydım.

Yoga yapanlara, ukala bir gülümseyişle "Sen şimdi erdin mi yani?", "Astral yolculuk nereye?" gibi zevzek espriler yapardım.

Ben kiim, yoga yapmak kimdi.

İstanbul'da organik gıda trendi başlayana ve ben bir kepekli pirinç hayranı olana kadar da ne yediğim umurumda değildi.

Kebapçıların dostu, vejetaryenlerin korkulu rüyasıydım!

Faşist doğacılar!

Bodrum'da tatil yapıyoruz. Organik gıda patlaması henüz başlamamış.

Yaz kış oraya yerleşmeye karar veren, üstelik bu amaçla bir köy evi tutup burayı yer minderleri, bakraçlar, cibinliklerle dayayıp döşeyen bir arkadaşım, bizi Buğday'a kahvaltıya götürdü.

Buğday "o zemanın" ender vejetaryen restoranı ve doğal ürünler dükkânı. **Rakipleri yok. Şimdiki gibi değilleeeer.**

Isaac Asimov (bir yandan kara deliklerle uğraşırken) ne demiş?

"Beslenmenin birinci kuralı: Tadı güzelse zararlıdır!"

Ama Buğday farklı. Nefis mercimek köfteleri, zeytinyağlılar

yapıyorlar. Kahvaltı yerine tahin, kuru üzümlü-cevizli buğday, çavdar ekmeği filan veriyorlar.

Bir de benim gibi tipik Türkler için, ancak istek ve yalvarış üzerine, beyaz peynir...

Çünkü müessesenin sahibi Viktor tam bir "vegan". Yani sadece et, tavuk, balık yememekle kalmıyor, **peynir, tereyağ, süt, yumurta gibi hayvansal ürünlere de dokunmuyor, dokunanı yakıyor!**

Tam kahvaltının ortasında, dinozorlar zamanından kalma, kanatlı, kuş büyüklüğünde, dev bir böcek geldi ve iğrenç bir çıtırtıyla masanın ortasına kondu. Çığlık çığlığa kalktık. Ben rulo yapıp hayvanın kafasına indirmek üzere gazete aranırken, Victor koşup yaratığı şefkatle ellerine aldı ve (sanki ilk fırsatta bu defa kafamıza konsun diye) bahçeye bıraktı.

Buğday, doğal hayat yanlısı bir restorandı ve böcek ilaecı kullanılması yasak edilmişti.

Dolayısıyla ömrümüzde resimlerini bile görmediğimiz, Bodrum'un bulunduğu iklim kuşağına özgü ne kadar mahlûkat varsa, Buğday'da müşterilerle huzur içinde yaşıyordu. Çünkü "Onların da bizim kadar yaşama hakkı var"dı.

"Ya benim huzur içinde yemek yeme hakkım?" diye tam bir şehirli gibi söylene söylene tekrar masaya oturdum.

Viktor da gelip bana uzun bir "doğal hayat" konferansı çekti. İnsanların sindirim sisteminin et yemeye uygun olmadığından, hormonlu gıdaların zararından falan bahsetti...

Tam ikna olmaya meyletmiştim ki, bahçede dolaşan kediyi göstererek, "Bak," dedi, "kedimize bile hayvansal ürün vermiyoruz. Et, süt, hiçbir şey!"

"Yahu kedi etobur hayvan, ne yiyor peki?"

"Otla, buğdayla besleniyor. Artık etin, peynirin kokusuna bile dayanamıyor, istemiyor!"

Kediye baktık. 250 gram falan kalmıştı. Etrafı kokluyordu.

Viktor gidince "vejetaryen" kediye gizlice bir parça beyaz peynir attım.

Evet, kedi peynirin kokusuna dayanamıyordu gerçekten. Çünkü zevkten kendinden geçiyordu!

Kimbilir kaç ay süren radika-ekmek-mercimek eziyetinden sonra, zavallı hayvanın o peyniri bir yutuşu vardı ki, gözleriniz yaşarır!

Kendimi kaybedip şöyle bağırmışım: **"Faşist doğal hayatçılara karşıyım!"**

Astral yolculuğum rahat geçti!

Bu olaydan tam 5 yıl 6 ay sonra, YogaŞala'nın kapısında ne arıyorum?

Bir Deepak Chopra kitabı okumayı bile beyhude bulmuş bir insanın, kokulu masaj yağlarının, doğal sabunların, "bindi"lerin satıldığı, herkesin alçak sesle konuştuğu bir yerde ne işi var?

Yazılarımı okuyanlar, doktor tavsiyesiyle, ömrümde ilk kez spor yapmaya karar verdiğimi, spor salonu tecrübemin ise, tam beklediğim gibi, başarısız olduğunu hatırlayacaklardır.

Yürüme bantları benim için kan ter içinde saatler harcayıp, hiçbir yere varamamak olduğundan, hoplayıp zıplamadan, sakin sakin yapılan yoga, kulağıma hoş geldi.

Tavsiyeler üzerine, bir cumartesi öğlen, ben ve çıplak ayaklarım (yoga öyle yapılıyor) üçüncü gözümü bulmaya hazırız!

İlk dakikalar gerçekten beklediğim gibi başladı. Yoga hocam Zeynep hem yapıyor hem anlatıyor. Nefes al, ver, esne, gevşe, hem de oturarak. Ooh, tam bana göre. **Hayatımın sporunu buldum!**

"Spor kasları sertleştirip kısaltır. Yoga ise gevşetip uzatır."

Biliyordum, biliyordum. Sporun zararlı bir şey olduğunu biliyordum!

Bir dakika. En az ben esniyorum. Herkes daha iyi yapıyor. Hani bu başlangıç dersiydi? İmkân yok. Buradaki herkes eski yogilerden! Bir ben çaylağım. **Aldatıldım! BU BİR KOMPLO!**

"Yogada başkalarıyla kendinizi karşılaştırmayın. Bu bir yarış değil. Hareketleri iyi yapmak zorunda değilsiniz. Ama kendinizi dışarıdan seyredin. Bu dersteki endişeleriniz, hırsınız, korkularınız, dışarıdaki yaşama tavrınızı da gösterir!"

Hoppalaa. Nereden anladı? Esne, nefes al, gevşe, nefes ver.

"İç organlarınızı gevşetin. Mideniz, kalbiniz, karaciğeriniz..."

Karaciğerimin tam nerede olduğunu bilsem çok gevşetmek isterim ama...

"Nerede olduğunu bilmeseniz de, organlarınızı kafanızda canlandırın ve onları dinlendirin!"

İşte karaciğerim. Dün akşamki kırmızı şaraptan sonra biraz halsiz görünüyor! Yediğime içtiğime dikkat edeyim biraz.

Pekiyi yogaya başladığıma göre şimdi vejetaryen mi olacağım? Oh yo! Esne, nefes al...

"Ne vejetaryen olmak zorundasınız ne yoga yapıyorsunuz diye sigarayı bırakmanız gerekir. Ama bir süre sonra, sadece beyninizi değil, vücudunuzu da dinlemeyi öğrenince, kendi kendinize bunları yapmak isteyebilirsiniz."

Güzel, çıkışta iskender yiyebilirim! Gevşe, nefes ver.

***

İlk yoga dersimde başarıdan başarıya koştum!

Son dakikalarda, yerde yatıp iç organlarımı gevşetirken, başka bir boyuta geçtim.

Astral seyahat diyebileceğim bu tecrübe, hocam Zeynep tarafından çok yüzeysel bir biçimde "E için geçmiş demek!" şeklinde açıklansa da, bu beni yıldırmadı!

Yogaya devam edeceğim. Birkaç hafta içinde yerden yükselmeyi planlıyorum. GÖRÜR O ZEYNEP!

***

Hey gidi hey! Şimdi organik kayısılar, kepekli pirinçler yediğimi, bir de üzerine yoga yaptığımı görse, kedisini otla besleyen Viktor ne derdi acaba...

Tabiata yalakalık olmaz!

Elimizde dolaştırıp durduğumuz, herkesin ne olduğunu tahmin etmeye çalıştığı "egzotik bitki", meğer Türkiye'deki en yaygın kokulu otmuş. Şehirler bize ne yapıyor?

Sık yapraklı, bir karış uzunluğunda, yeşil bir bitki.

Elden ele dolaştırıp bakıyoruz. Herkes bir tahmin yapıyor.

"Hindiba!" diye bağıran, hayatında hindiba görmediği gibi, hayvan mı, meyve mi, ot mu olduğunu bile bilmeyen, cesur cahillerimiz bile var.

En sonunda DJ'lik yapan bir arkadaşımız aldı, evirdi, çevirdi, burnuna götürdü ve:

"Pizza!" dedi. **"Pizza gibi kokuyor. Pizzanın içine koydukları baharat karışımının hammaddesi!"**

Böyle bilimsel bir yaklaşımı hepimiz takdir etmek üzereyken, bitkiyi bayram tatiline gittiği Kekova'dan toplamış olan doğasever dostumuz patladı:

"Kekik be, kekik! İnsaf."

Kekik? Bizim bildiğimiz kekik, kuru, sert, kıtır, gri bir şeydir. Bunun gibi ot kokmaz. Kekik böyle mi olur yahu?

Evet, tazesi öyle olurmuş. Biz o yeşil yaprakların kurutulup, ufalanmış halini biliyormuşuz.

Alın size tam bir metropol manzarası.

Biz nerede yaşıyoruz?

Şehirde doğup büyüdüyseniz, taze süt yağlı, doğal zeytinyağı acı gelir size. **Hormonsuz meyvelerin kokularını, önce kokulu silgilerden, büyüyünce de parfümlerden bilirsiniz.**

Ülkede en çok yetişen kokulu ot da, birdenbire "pizza bitkisi" oluverir!

Başka kokular vardır hayatınızda: Egzoz kokusu, benzin kokusu, plastik kokusu, boya kokusu, teksir kâğıdı mürekkebi kokusu, yanmış lastik kokusu, yeni araba kokusu...

Bayramda Antalya'daydık. Bir golf otelinde.

Yazılarımı okuyanlar, sporla ilgili düşüncelerimi biliyorlardır. Onun için golf molf oynamadım.

Ancak, aynı otelin müthiş bir "spa"sı var. Meraklısı olmayanlar için anlatayım: Spa, hem sağlığınızı hem güzelliğinizi artıran, çeşit çeşit bakımlar, türlü türlü masajlar yaptırabildiğiniz, şifalı havuzlarda yüzebildiğiniz, kaplıcanın pek lüks türüne deniyor.

Bir ay boyunca haftada yedi gün çalışmanın perişanlığıyla, o spa'ya bir girdim, bir daha çıkamadım.

Ne golf sahalarında yürüdüm, ne organik tarım yapan domates seralarını gezdim, ne deniz kıyısına indim...

Ve bayram bitti!

İçerisi daha rahat, doğayı boş ver!

Büyük kentler bize ne yapıyor?

Dışarı çıkıp iyot kokulu serin rüzgâr, dik dik bakan güneş ışığı eşliğinde, belki biraz çamurlu veya tozlu, engebeli yollarda, ıhlaya pıhlaya yürümek yerine, içeride, tam vücut ısımıza göre ayarlanmış havuzun içinde, parfüm kokan hava ve dozunda ışıklandırılmış mekânlarda kalmak daha mı cazip geldi?

Bu, evrimin bir parçası mı?

Asfalt yollar, asansörlü, ısısı ayarlanmış evler, hazır yiyecekler, otomobiller, internet yalan dünya mı, yoksa gerçeğin ta kendisi mi?

Doğa, sadece ihtiyacımız olan su, hava ve ışığı sağladığı için seviyor gibi görünmeye çalıştığımız, romantikleştirmeye uğraştığımız can sıkıcı bir şey mi?

Bunların üçünü ve belki başka hayati kaynakları **suni olarak imal edebiliyor olsaydık, doğaya bu kadar yalakalık yapar mıydık?**

Akbabalara, yılanlara, akreplere, dikenli otlara, dondurucu soğuklara, kasırgaya, yakıcı güneşe, kum fırtınalarına, depreme, toprak denen, savrulunca ortalığı mahveden, kahverengi toz yığınına niye ihtiyacımız olsun ki o zaman?

Şelale manzarasını, evimizdeki, yeni çıkan, üç boyutlu televizyonlardan görebiliyorsak, sorarım size, o manzaranın gerçeği mi daha makbul, televizyondaki **daha renkli ve istediğiniz zaman hazır görüntüsü mü?**

Laf aramızda, kuru kekik de tazesinden güzel kokuyor!

Olay **"tamamen duygusal"** mı?

Aslında tabiatla iğrenç, sahte bir çıkar ilişkimiz mi var?

Yağmur ormanlarının her saniye azalmasına niye üzülüyoruz?

Ucu bize dokunacak da ondan. O ormanlar bitince biz de biteceğiz.

Yoksa kime ne o ağaçlardan, ismini bile bilmediğimiz hayvanlardan...

Çevreciler beni mahvedecek!

Halbuki bilmiyorlar ki aslında onların tarafındayım...

Arabesk tabelalar

Beşiktaş'taki "Atatürk, Cumhuriyet ve Demokrasi Anıtı"nın etrafını yeşillendirip, çiçek dikmişler.

Ne yazardı eskiden? "Çimlere basmayın", "Çiçekleri koparmak yasaktır".

Bunlar zaten başlı başına komik. Adam kocaman yolda yürüyecek yer bulamayıp 50 santim genişliğindeki çim bölüme basıyor ki, bu tabela konuyor.

Hayır, belli ki basıyorlar. Neden çiğnendiğinde bozulmayan adi çimen kullanılmaz şu ülkede?

Ama daha da ilginci, yeni tabelalarda şöyle yazıyor: **"Biz tükendik, bari bitkiler yaşasın!"**

"Ben zaten bu dertlerin tiryakisi olmuşum" veya "Batsın bu dünya" tonunda bir park tabelası. İnsanın aklına sigara içip ağlayan bir park bekçisi, rakıları koymuş demlenen belediye encümeni geliyor.

"Biz tükendik" de krizle ilgili olsa gerek.

Neden sonra anlaşılıyor ki, tabelanın üstünde minik bir dinozor çizimi de var. Yani "Biz tükendik, bari bitkiler yaşasın", dinozorun konuşma balonu!

Küçük dinozorun nesli tükenmiş, "Bari," diyor, "çimler, çiçekler kalsın".

Artık özgür ve demokratız ya, anıtımız bile var ya.. "Basma", "koparma", "yasaktır", olmaaz. Ayrıca çok kaba!

Millet Akdenizli, hepsi duygusal çocuklar. Vatandaşın kalbine hitap edeceksin, o şirin dinozorla yüreğini burkacaksın ki, şehrin parkından çiçek koparmamayı öğrenecek!

E, belediye daha ne yapsın?

ŞEHİRDE DOĞA ÖZLEMİ

Büyük şehirlerde o kadar rahat yaşıyoruz ki.

Yediğimiz önümüzde, yemediğimiz arkamızda. Her yere otobüsle, arabayla gidiliyor. Hayatımızın çoğu zaten kapalı binalarda geçiyor.

Aslında insanoğluna aykırı bir durum.

Zannediyorum bir taraftan doğayı, zor şartları, avcılık alışkanlığımızı özlediğimiz için, bunu başka şekillerde tatmin ediyoruz.

Mesela giysilerle: Her tarafı cepli pantolonlar, kocaman kocaman botlar, sırt çantaları, asker montları.

Şehir İstanbul, her yer cadde sokak, park tek tük, bahçeli ev çok ender, iklim yumuşak...

Böyle bir durumda altı çivili dağa tırmanma botlarının canı sıkılmaz mı?

Her şeye eyvallah, bu kıyafetlerin aynısından bebeklere niye yapılıyor?

Bebek kamuflaj desenli montu ne yapacak?

Mamayla peşinden koşturan anneden mi saklanacak?

Cepli pantolonunun ceplerini ne yapacak? Çıngırağını, diş kaşıma halkasını falan mı koyacak? Hani olur da Everest'in zirvesinde bir diş kaşıntısı tutar, o basınç farkında hiç çekilmez!

Şehirliler olarak çok özeniyoruz zor doğa şartlarına. Oysa hiçbir cazip tarafı yok.

DOĞAL KAHVALTI!

Vejetaryenlik, organik tarım, doğal gıdalar, benim anladığım işler değil.

Beslenmeyle ilgili tek kural öğrendim: Bir şeyin tadı güzelse mutlaka zararlıdır. Bu da benim işime gelmiyor.

Şekersiz, kepekli kurabiyelerin, diet bisküvilerin, kahvaltıda üzerine süt dökülüp yenen çavdar gevreklerinin tadı ortak: Kokusuz mukavva!

Süt dökünce de sütlü mukavva. Süte yazık.

Ben beyaz un, beyaz şeker, tereyağ ve kırmızı etten yanayım.

Öteki türlü daha uzun yaşanabilir tabii.

Ama öyle bir hayata uzun yıllar katlanmaktansa intihar edecek insanlar tanıyorum.

O zaman ne işe yaradı o kadar yulaflı gevrek? Öldün gittin.

Ayrıca diet ekmeklerinin kalorisi de normal ekmekten fazlaymış, yeni yazdı gazeteler.

Ben, kebap, tatlı, kaymak ve hamur işleriyle dolu, kısa ama zevkli bir yaşamı tercih ederim!

GORİL DOSTU!

Uzun yıllar gorillerle, yunuslarla yaşayıp, onlarla iletişim kurmaya çalışan insanlara çok gülerim.

Dünyanın ücra bir köşesinde, yıllarca kalırlar. Ve, evet, en sonunda hayvanlarla bir bağ kurarlar.

Mesela, hayvanın dilinde, yüzükoyun yere yatmanın teslimiyet, el çırpmanın savaşa çağrı, arka ayakları kaşımanın sevgi belirtisi olduğunu falan öğrenirler.

Ne yazık ki, hayvanların davranış biçimleri insanlardan daha baskın çıkar. Ve sonuç olarak da, bilim adamı, ormandan dört dörtlük bir goril olarak dönse de, gorilde hiçbir değişiklik olmaz!

Dolayısıyla daha az gelişmiş türde hiçbir değişiklik olmadığı gibi, medeni bir insanoğlu da, o zor yıllardan sonra şehre mağara adamı kılığında döner!

Bu açıdan böyle araştırmaları beyhude bulurum.

DOĞAL TAVUK YETİŞTİRME YURTLARI

Yeni çıktı, bilmiyorum duydunuz mu...

Tavukçuluk firmaları, reklamlarında, tavuklarının kapalı çiftliklerde değil, gezip dolaşabildikleri açık alanlarda yetiştirilmesiyle övünüyorlar.

Yani, bu reklamı yapan firmaların sattığı tavuklar, hayattayken, küçük bölmelerde oturup yem yiyerek değil, açık arazide eşelenerek, koşarak, oynayarak, (tavuklar nasıl oynuyor bilmiyorum) büyümüşler.

Şimdi, bu reklamlar, eğer tavuklara yapılsaydı çok etkili olurdu!

Yani tavuk olsam, tercihimi bu firmalardan yana kullanırdım. Yani zaten hayat kısa, sonumuz belli, bari güzel yaşayalım.

Ancak, tavuğu yiyen açısından, tavuğun güzel anılarla dünyamızı terk etmiş olmasının ne gibi bir farkı var, onu anlayamadım.

Yani âşık olmuş, koşuşturmuş, arkadaşlar edinmiş bir tavuğun kızartması iyidir de, hayatı oturarak, ve boş boş bakarak, hiçbir duygusal iniş çıkış olmadan geçirmiş tavuğun ancak ızgarası mı yapılabilir?

Doğal hayatçılarsa, bu kapalı kalmış tavukların vücudundaki sıkıntının etlerine, oradan da yerken bize geçtiğini ve zararlı olduğunu söylüyorlar.

Tamam da, o eşelenmiş, açık hava tavuklarından biri, süper gergin bir hayat yaşamış olamaz mı?!

Diğer tavuklarla kavga, horozun kaprisleri, tilki korkusu, "yem saati geldi, aman önce ben koşturayım yoksa kalmaz," falan filan. Bir sürü dert.

Halbuki ötekiler sakin. Yediğin önünde, yemediğin arkanda, kendine ait bir oda! Gerçek hayat her zaman daha stresli değil midir?

SİGARA ÖLDÜRÜR

Sigara öldürür, alkol süründürür. Sürekli bu.

Şunu anlayamıyorum, bizi öldüren toksinler değil mi?

Yani kimyasal atıklar, şunlar bunlar.

Halbuki içki ve sigara, yüzde yüz doğal maddelerden yapılmıyor mu?

Yani doğal hayatçıların istediği gibi.

İçki, arpadan üzümden imal edilmiş; sigara da, tütün denen, şirin bir bitkinin yapraklarının kurutulmuş hali!

Yani bir nevi kekik, rezene, sarı kantaron falan gibi bir şey. (Sarı kantaron lafını çok sevdiğim için bu örneği verdim.)

Yani bunlar tamamen doğal ürünler.

Demek doğadaki her şey de sağlığa faydalı değil!

Belki semizotunun da fazlası kanser yapıyordur?

Veya kabuklu mercimek kalbe zararlıdır.

Ne bilelim? Baksanıza sigaraya.

Bitkilere karşı bu kadar saf olmayalım, biraz şüpheli yaklaşalım.

Sevgili doğal hayatçılar, bakalım bu incilerime ne diyeceksiniz!

HASTALIKTA, SAĞLIKTA VE
BİLİMUM EVHAMDA....

Hastayım, yaşıyorum!

Baktım grip oluyorum, gittim eczaneye. "Ver evladım oradan," dedim, "antibiyotik, parasetamol, pastil, boğaz fısfısı, ne varsa." İnsanın memleketi gibi yok. Amerika'da olsa günlerce sürünecektim. Neden mi?

Patlayacağım!

Hastayım ve evde oturuyorum.

Grip oldum. Şu ara herkes grip.

Bu "herkes" lafına bayılıyorum.

Arkadaşlarıma "Grip oldum," diyorum. "Yaa, herkes hasta bu aralar," diye cevap veriyorlar. Herkes hastaysa pencereden baktığımda dışarıda gördüğüm sağlıklı yüzlerce insan kim?

"Herkes" fonetik olarak da çok ilginç. Yedi sekiz kere tekrarlayınca anlamını kaybediyor. Çünkü "kes" insan demek değil ki. "Her kes" ne demek? "Her kez," olsa "bütün defalar" olur ama...

Evde oturup bunları düşünüyorum. Durum vahim.

En son 5 yaşındayken hafta ortaları evde oturmuş biri için çok berbat günler...

Evin içinde dolaşıp, resmin köşesine, koltuğun kıyısına, vazonun ötesine, halının berisine takılıyorum.

Ev kadınlarını anlamaya başlıyorum.

Genç kadının nesi var, doktor?

Neyse ki çok berbat bir soğuk algınlığı değil bu.

1995'te öyle bir grip geçirmiştim ki... Bak tarih bile aklımda.

Boğazımın acısından hiçbir şey yutamıyorum, geceleri uyuyamıyorum. Sürekli ateşim var.

İkinci gün zar zor kalkıp okulun sağlık merkezine gittim. Kapıda kuyruk. Herkes hasta (işte o herkes!), ama kimse benim kadar kötü değil.

Ayıptır söylemesi, New York'ta okurken oluyor bunlar. Yabancı ülkede kapılan virüs insanı daha çok etkilermiş, söylenenlere bakılırsa. Bağışıklığın yok ya...

Kültür aldılar, tahliller, şunlar bunlar.

Dediler ki: "Bakteri yok, antibiyotik vermeyeceğiz. **Grip olmuşsunuz. Dinlenin, meyve suyu için, çay için, pastil alın, dört beş günde geçer.**"

Bir hastalık hastası için pek tatmin edici bir tedavi değil. Ben iğne falan versinler istiyorum.

Yok. Eve git, uyu, bekle ki geçsin.

Antibiyotik için ruhumu satacağım. Eczaneler antibiyotik isteyenlere morfinman muamelesi yapıp, reçetesiz kutusunu bile göstermiyorlar. Zaten doktor da "Antibiyotik alma," diyor. Reçetesiz alabileceğiniz soğuk algınlığı ilaçları da uyku vermekten başka bir işe yaramıyor.

Eve döndüm.

Sabahtan akşama kadar çay, meyve suyu, çorba, pastı
Geçmek ne kelime? Daha kötü oldu. Bir gün, iki gün. Yine
lık merkezi.

Kültür, tahlil, muayene: "Bir şey yok. Grip olmuşsunuz, zaten salgın. Uyuyun, dinlenin, bol sıvı alın, geçecek!"

Boğazımın acısından uyuyamıyorum ki. Sesim de kısıldı mı sana! Bademciklerimde ender rastlanan bir mikrop olduğuna eminim.

Alfred Hitchcock'un kâbus sözleri aklımda: **"Şişmiş bir boğaz için çok iyi bir tedavim var: Kes gitsin!"**

Bademcik acısıyla dolu, yarı uyur-yarı uyanık bir sabaha karşı, hastalık hastası yanım, hayal gücümle elele vermiş, ***Acil Servis*** dizisinin en dramatik bölümünü yazıyor:

-Bu genç kadının nesi var, doktor?

-Yabancı bir öğrenci, durumu çok kritik. Ender bulunan bir virüs. Vücuda bademciklerden girip bağışıklık sistemini göçertmiş. Buraya getirildiğinde şuuru kapalıydı. Bir, iki, üç, ver!

(Doktorlar, elektrik şoku veren, seyahat ütüsü gibi aletlerle göğsüme bastırıyorlar, yataktan iki metre havaya zıplıyorum!)

-Neden daha önce müdahale edilmemiş doktor?

-Bu ilginç virüs, gribe benzer belirtilerle vücudu yormaya başlar. Oradan eklemlere, karaciğere ve kalbe gider. Sonra bağırsakları düğümler(!). Okulun sağlık merkezinde teşhis edilememiş. Eve gidip yatması söylenmiş. **Bir, iki, üç, ver! Tanrı aşkına, Sam, solunum makinesi hazır değil mi?**

-Daha çok genç, doktor, daha çok genç!

-Kendine gel Sam, artık tıp fakültesinde değilsin! 89 saattir nöbette olduğunu biliyorum ama kendini toplaman gerekiyor dostum!

-ONU KAYBEDİYORUZ!

-Lanet olası! Şu solunum makinesi nerede?

Bu noktada tepem atıyor!

bahın yedisinde, üçüncü randevumu almak
ni arıyorum.
rir vermez beni tanıyor: "Haa, siz. Bu haf-
zaten. **Bakın Gals, (bana öyle diyorlar)**
veya muayeneye gerek yok. Hepsini yap-
lığı geçiriyorsunuz!" der demez ben KEN-
DİMİ KAYBEDİYORUM:

"Ben burada ölüyorum! Boğazım o kadar acıyor ki geceleri uyuyamıyorum. Ateşim yüksek. Salak testleriniz beni ilgilendirmiyor! Adam gibi bir doktor istiyorum, ilaç istiyorum. Randevu istiyorum!" Güya bağırıyorum ama sesim kısık.

Fısır fısır, nefeslenerek konuşuyorum, sapık gibi!

Kadın içini çekiyor:

"Cumartesi ikide gelin o zaman," deyip çaatt diye kapatıyor.

Cumartesi ertesi gün! Yine arıyorum: "Durumum acil, bugüne randevu istiyorum!" demek isterken, aniden, beklenmedik bir biçimde Türk yanım "pörtlüyor":

"Neler yapabileceğimi biliyor musunuz? Sizi dava edeceğim. **Siz benim kim olduğumu biliyor musunuz?!"**

O anda durup dışarıdan kendime bakıyorum.

"Siz benim kim olduğumu biliyor musunuz!" ne demek?

Ben bunu nasıl söyledim?

Siz benim kim olduğumu biliyor musunuz?

İnsanlar çaresizlik, kızgınlık, büyük üzüntü gibi duygusal patlama anlarında "özlerine" dönüyorlar.

Bir arkadaşım çok kızdığında annesini görüyormuş kendinde: "Siz de takdir edersiniz ki", **"Üstüme iyilik sağlık!"**, "Allah sonumuzu hayır etsin" gibi anne laflarıyla, annesi gibi sesini tizleştirerek kavga ediyormuş!

New York'taki berbat grip salgınından iki hafta önce.

Şehrin yeni açılmış en havalı gece kulübünün önündeyiz. Ana

baba günü. Girmek imkânsız. Ama biz tüyoyu önceden almışız: "Michael'ın arkadaşıyız," diyeceğiz.

Michael kim? Barmen mi? Michael Jackson mı? İçeride doğum günü kutlayan biri mi? Kimin umurunda. Mühim olan girmek.

Ama önümüzde bir grup problem çıkarıyor. Daha doğrusu kapıdaki bodyguard onlara problem çıkarıyor ve nedense onları içeri sokmak istemiyor. Yüzlerine bakmadan "Özel parti var," diyor ve gitmelerini söylüyor.

Gruptan orta yaşlı bir kadın, hafif aksanlı bir İngilizceyle bağırıyor: **"Ben, seni, kulübünü ve ülkeni satın alırım! Sen benim kim olduğumu biliyor musun?"** Amerika'yı satın almaya talip kadın dönüyor ve hepimiz tanıyoruz: İstanbul'da bırakın bir yere sokulmamayı, her yerde kapılarda karşılanacak meşhur soyadlı bir Türk hanım!

Söylene söylene çekip gidiyorlar.

Biz de, her kimse, Michael'ın hatırına, şak diye giriyoruz içeri.

"Sen benim kim olduğumu biliyor musun?" galiba oradan aklımda kalıyor...

İlaç verin, ilaaaç!

Hemşire, neyse ki "Bilmiyorum, kimsin?" diye sormuyor.

Kelimeleri heceleyerek **"Du-ru-mu-nuz a-cil de-ğil!"** diyor. Ama yine de beni acil servis doktoruna bağlıyor.

20 dakika konuştuktan ve adamcağıza bütün kayıtlarımı tekrar incelettikten sonra, aynı şeyleri yüzüncü kez duyuyorum: "Sıvı, pastil, uyku. Bir iki güne geçer."

Milyonlarca dolar tazminat almayı planlayarak uyuyakalıyorum.

Öğlene doğru kalktığımda ise bayağı iyiyim.

Cumartesi, saat ikide, randevu yerine sinemaya gitmeyi tercih ediyorum.

Dün değil evvelsi gün. Baktım hasta oluyorum, gittim eczaneye, **"Evladım," dedim Bülent Ersoy gibi, "ver oradan, antibiyotik, pastil, gargara, parasetamol, vitamin, echinacea, boğaz fısfısı, ne varsa, çekinme."**

Hepsini yutup duruyorum. Nasıl mutluyum, anlatamam!

İnsanın vatanı gibi yok hakikaten...

Hastalık hastalarına hizmetimizdir!

Woody Allen'ın dediği gibi, insanlık tarihinin en güzel cümlesi "Seni seviyorum," değil, "İyi huylu çıktı"dır! Bu noktada, yani hasta olmadığınızı öğrendiğiniz anda, gök masmavidir, güneş pırıl pırıl parlar, kuşlar cıvıldar, bütün insanlar dosttur, hayat güzeldir!

"Hiçbir şeyiniz yok," dedi doktor. **Hafiften sinirlenmeye başlıyordu.**

Bense kendimden çok emindim:

"Nereyi kastettiğimi anlamıyorsunuz," diye ısrar ettim. **"Bakın tam çenemin altında, gırtlakta, top gibi bir şey."**

Son bir haftadır boğazımda bir kist, çok sıkı bir apse, hiç olmazsa bir nodül olduğuna emindim. Şu şarkıcıların ses tellerinde olan cinsten.

İlk fark ettiğimde çok küçüktü, emin bile olamamıştım. Ama içime bir şüphe düştüğünden beri elim hep boğazımda, yoklayıp duruyordum.

Hatta bazen arkadaşlarımın parmağını alıp, boğazımı sıkıp, baloncuğu dışarı çıkarmaya uğraşıp "Bak, bak, orada, yuvarlak," diyordum.

Kimi fark edemiyor, kimi gülerek "Aaa hakikaten, ne komik!" yapıyordu. Duyarsız şeyler! Ben burada ölüm kalım mücadelesi verirken, aa ne komikmiş!

Bir hafta boyunca, her gecem *Mayo Clinic* kitabından hastalık bulup teşhis üretmekle geçti.

İnternetse bu konuda daha da zengindi.

Akıl almaz hastalıkları, hafif bir boğaz ağrısıyla başlayan insanların dehşet verici hikâyelerini okuma imkânı vardı!

Apseyse ve bu kadar zamandır oradaysa, eklemlere yerleşmiş ve hatta zarar vermiş bile olabilirdi. Belki de kalbe bile gitmişti!

Apse değil nodülse, o zaman ameliyatla kurtulurdum. Başka bir tür kistse, hatta tümörse ihtimalleri düşünmek bile istemiyordum!

Aklımı oynatmak üzereyken, doktora gittim.

En son bademcik muayenesi yaptırdığımdan beri tıp çok ilerlemiş.

Ağzınızın içine kalem gibi bir şey sokuyorlar, ucunda kamera var. Hem ekranda bademciklerinizi, ses tellerinizi falan seyrediyorsunuz, hem doktor anlatıyor:

"Gördüğünüz gibi her şey çok sağlıklı, boğazda enfeksiyon yok, burundan akıntı yok, tahriş yok."

"Göremiyor olabilir misiniz? Yani ben bir top olduğuna eminim," dedim.

Herhalde, yıllarca eğitim ve Hipokrat yemininin vermiş olduğu sabırla, **"Hangi top?" diye içini çekti doktor.**

Çenemin hemen altında gittikçe şişen yeri, o hızla büyüyen, vücudumu kontrol altına alan, gençliğimi kemiren korkunç nodülü gösterdim!

Doktor kamerayı kapatırken söylendi: **"Onlar sizin tükürük bezleriniz! O kadar çok oynamışsınız ki şişmişler. Tükürük bezlerinizi rahat bırakın, geçer."**

Woody Allen'ın dediği gibi, **insanlık tarihinin en güzel cümlesi "Seni seviyorum," değil, "İyi huylu çıktı"dır!**

Bu noktada, yani hasta olmadığınızı öğrendiğiniz anda, gök masmavidir, güneş pırıl pırıl parlar, kuşlar cıvıldar, bütün insanlar dosttur, hayat güzeldir!

Ancak hastalık hastaları ders almazlar. Kafamı kurcalayan son soruyu da sormalıydım:

"Madem öyle, niye biri ötekinden daha şiş?"

"Onlar hiçbir zaman eşit değildir, biri büyük, biri küçük olabilir," dedi doktor, ve ilk defa endişeyle yüzüme baktı: "Hep böyle hastalık mı kurarsınız kafanızda?"

Evet, kurarım. Hem de nasıl.

Hastalık hastaları beni anlayacaklardır. Baş ağrısı, gaz sancısı, boğaz şişmesi, eklem sızısı, yorgunluk, benler, nezle, her gün olan şeyler, tedavi gerektirmeyen her basit rahatsızlık, bizim gibi insanlar için korkunç hastalıkların habercisidir.

Evlerimizde tıp kitapları bulunur ve biraz da bu yüzden, bir sürü hastalıkla ilgili yalan yanlış bir şeyler biliriz.

Kitapta sıralanan yedi belirtiden sadece birinin bizde bulunması bile, o hastalığın son aşamasında olduğumuzun kanıtıdır...

Hayatında kalp rahatsızlığıyla ilgili hiçbir işaret olmayan, 30 yaşında bir kadın, neden ikide bir elektro çektirir?

Islak saçla sokağa çıkıp boynu tutulan insan, beyin tomografisine niye ihtiyaç duyar?

Birkaç yıl önce tepe noktasına varan bu durumu, kendi halim sinirime dokunduğu için, artık kontrol altında tutabiliyorum.

Tüm hastalık hastalarına, konuyla ilgili âcizane tavsiyelerim var:

• **Asla tıp kitabı okumayın, evde bulundurmayın, kendinize teşhis koymayın.**

• Hastalıklarla ilgili sohbetleri dinlemeyin, sürekli hastalıktan bahseden arkadaşlarınızla ilişkinizi gözden geçirin!

• **Her dakika vücudunuzu dinlemeyin. Rutin sağlık muayenelerinizi yaptırın, gerisine karışmayın. Unutmayın ki ciddi hastalıkların çoğunun ciddi belirtileri vardır.**

• En ufak bir şüphede, uykusuz geceler geçirmeden, ihtimaller üzerinde durmadan, soluğu doktorda alın.

• **Hep 'Muhtemelen basit bir şeydir' diye düşünün. Çoğunlukla öyle olacaktır.**

• Günümüzde neredeyse her hastalığın tedavisi olduğunu aklınızdan çıkarmayın.

• **Belki de en önemli rahatsızlığınızın bu durum olduğunu göz önünde bulundurup, ona çare bulmaya çalışın.**

• İleri safhalarda hastalık hastası olmanın sebebi, her fobide olduğu gibi, çoğu zaman başka endişelere, stres ve problemlere dayanıyormuş. Bunları bulup hayatınızdan çıkarın.

HAYAT SİGORTASI NEYE YARAR?

Sağlık sigortasında, hastalanınca tedavi masraflarınız karşılanıyor. Kaza sigortasında, mesela eviniz yanınca para alıyorsunuz, tamam.

Hayat sigortasının işleyiş biçimini tam anlamış değilim.

Yani ölünce para mı alıyoruz?

Öldükten sonra bu parayı nasıl harcıyoruz?

Ne tür bir mal ve hizmet satın alabiliyoruz?

Daha çok cennet meyvesi, daha güzel huriler?

Yani ne işimize yarıyor?

İşimize yaramayacak para için, niye hayattayken taksit ödüyoruz? Lütfen biri bana anlatsın.

Ayrıca bu sigortayı satanlardan olmak istemezdim doğrusu. Müşteriye gidiyorsunuz:

-Hayat sigortası yaptırın! Bak, ne olur ne olmaz. Allah gecinden versin. Sizin gözünüz de toprağa bakıyor biraz!

-Ya gitsene kardeşim şuradan! Allah Allah!

Veya benim gibi düşünen müşteriler de olabilir:

-Ben bu parayı alabilecek miyim? Yani çünkü, inşallah almam. Siz ölünce vermeyecek misiniz bunu? Keşke hiç almasam!

-Olur mu efendim, inşallah size yüklü bir para vereceğiz. Helvanızı da yeriz bu vesileyle!

İç karartıcı.

Ama, benim gibi sadece kendini değil, yakınlarını da düşünen iyi yürekli insanlar, hayat sigortalarının baş müşterileri.

SİGORTACILARIN KARAKTER TAHLİLİ

Sigortacılar kötümser insanlardan seçilmeli! İş ilanlarında da bu yazmalı:

"En az iki veya daha fazla fobisi olan, her zaman en kötü ihtimali düşünen, bardağı boş gören, üniversite mezunu adaylar aranıyor!"

En iyi sigortacı şu karakterdir:

"Deprem geliyor. Yarın öbür gün. Ben size söyleyeyim. Zaten bu ülkede deprem olmasa, trafikten gider insan. Buyrun poliçenin şurasını imzalayın. Gözüme çarptı, sizin elinizde de bir şey çıkmış ama... Valla, bizim bir Şadi Ağabey vardı, rahmetli, böyle bir şey gördük elinde, üç ay sonra gitti, koskoca adam. Öff, hava da ne sıcak, yangınlar başlar yakında!"

Öyle tabii.

İyimser bir sigortacı ne diyecek ki?

"Şöyle şöyle programlarımız var, ama, evlerden ırak. Allah korusun canım, kolay kolay bir şey olmaz. İyi şeyler düşünün, iyi şeyler olsun. Evet, Allahaısmarladık, bir daha görüşmeyiz herhalde."

GÖRÜYORUM, GÖRÜYORUM

Eski Türk filmlerinde, gözlerinin açılması için ameliyat olan jön veya esas kızın, bandajları açılır ve oyuncu "Görüyorum, görüyorum!" der.

Çıkan bandaja hiç dikkat ettiniz mi bilmiyorum.

Gözün açılması esnasında, o kadar ciddi bir ameliyattan arta kalan pamuk, yara bandı, gazlı bez gibi bir şey göze çarpmaz. Bir tentürdiyot izi bile yoktur.

Sadece kafanın etrafına, oldukça uzun, beyaz bir bez defalarca dolanmıştır. Sanki bu, doktorların bir oyunudur: "Sürpriiz, aslında bir hafta önce iyileştiniz, ama biz kafanıza çarşaf kesip doladık, böyle ağır ağır açınca daha eğlenceli oluyor!" veya "Sürpriz partii, iyi ki dooağduuun, kör jööön!" diyeceklerdir.

İyi görmek çok önemli. İnsanlar bunun için nelere katlanıyorlar.

Mesela lensi kim icat etmiş acaba?

Bence aynı zamanda pazarlama konusunda bir dehaydı. Fikrini nasıl satabildi ki?

"Biliyorsunuz, gözlükler buruna falan ağırlık yapar, zordur. Şimdi, harika bir şey buldum, gözlükleri atıyoruz, onun yerine, gözlük camını gözün içine sokuyoruz! Tabii özel suları falan da var, biraz bakım isteyen bir şey. Hatta mikrop kaparsa, kör bile olabilirsiniz, dikkat etmek lazım. Nasıl? Yine de süper fikir değil mi? Camı gözüne sokuyorsun! Bence çok tutacak."

Helal olsun gerçekten!

GENÇLER, YAŞLILAR VE ARADA KALANLAR!

Gençler ve hep genç kalanlar!

29 yaşımı, 30 yaşıma bağlayan gece, gerçeği anladım!
Sekiz ay önceydi.
Ayıptır söylemesi, yabancı bir ülkede tatildeydik. Otel odasında hazırlanırken, 30 yaş kutlamalarım için son derece hevesliydim.
40'ların yeni 30'lar, 30'larınsa yeni 20'ler olduğunu iddia eden birçok Sex and the City bölümü izlemiştim.
(İnsan bir televizyonda gördüğüne, bir de inanmak istediğine inanıyor.)
Bu savda doğruluk payı vardı aslında. Çoğumuz, artık 20'lerinde "teenager" hayatı yaşıyor, 30'larında adam gibi bir işe başlayıp evleniyor, ancak 40'larında küçük çocuklara sahip, daha iyi para kazanan, birazcık olgunlaşmış insanlar haline geliyorduk.
Anne babalarımızdan 10 yıl daha geç gelişiyorduk yani.

Bizim zamanımızda böyle miydi...

Dolayısıyla ben de o gece, hesaba göre, 20'li yaşlarımın başlamasını kutluyordum. Saç modelim, dar blucinim ve ruh halim de "Taş çatlasa 23, 24" diyordu ki...

Televizyonda **Duran Duran** konseri başladı!

80'lerin Beatles'ıydı Duran Duran grubu.

Lisede hepimiz fanatikleriydik.

Arada sırada birimizin evinde toplanıp cips yenen, Duran Duran plakları (Gençler için not: Plak 80'li yılların CD'sidir. CD'den daha büyüktür. Pikap denen aletlerde çalınır...dı!) dinlenip, videodan konser izlenen partiler verirdik.

İşte o partilerde seyrettiğimiz konserler, Madison Square Garden gibi dev mekânlarda yapılır, **punk saçlı kızlar, metal bileklikli, boyunlarında zincirler olan oğlanlar, çığlık çığlığa, korumaları atlatıp grup elemanlarının üzerine saldırır, ayılır, bayılır, birbirlerini ezerlerdi.**

Grubun o zaman 20'li yaşlarda olan birbirinden süslü ve yakışıklı elemanları, konser bitiminde, bu kendini kaybetmiş gençler kalabalığını zapteden polis çemberi sayesinde arabalara ulaşabilirlerdi. Hey gidi hey...

30. yaşımı kutladığım gece televizyonda seyrettiğim konser ise yeniydi.

Duran Duran'ın, gruptan ayrılmayan elemanları bir araya gelmiş, eski şarkılarını söylüyorlardı.

En iyi durumdaki eleman, solist Simon le Bon, orta yaşlı bir adam olmuştu.

Geri kalan üyelerin durumunu anlatmaya yüreğim dayanmaz.

Ama bam telime basan onlar olmadı.

Kamera Duran Duran'dan kopup seyircilere döndü bir ara.

Madison Square Garden yine doluydu.

Ama o çılgın gençlerin yerinde yeller esiyordu!

Onların yerine 30'ların ortalarında, hatta 40'larında, üstleri başları düzgün, ayakta, sakin sakin konseri seyreden, sevgilisine/eşine sarılmış, müzikle hafifçe sallanan seyirciler vardı.

Kimdi bu moruklar?! Duran Duran hayranları neredeydi?

Ve gerçek beni sarstı: BU SAKİN İNSANLAR, O MANYAK GENÇLERDİ ZATEN!

Birdenbire 30. yaş kutlamalarım o kadar da eğlenceli gelmemeye başladı.

O bar senin, bu kulüp benim gezmek yerine, iyi bir akşam yemeğinde karar kıldık.

30 yaş eşiği

30 ilginç bir yaştır.

Bence fizyolojik değil, daha çok kullandığımız desimal sistemin sonucu olarak, 29'dan çok farklıdır.

Kozmetikçiler "Bu kreme 30 yaşında başlayın," derler mesela. 29 çok erken, 31 çok geç olacakmış gibi.

Bazı kadınların 30'dan önce evlenmek gibi bir derdi vardır.

İş ilanlarında "En az 30 yaşında olmak" gibi bir özellik aranır.

9 modunda 30 yaş hiçbir şey ifade etmez ama. Önemli olan yaşlar 27, 36, 45, 54 diye gider. Yani eğer 9 temelli bir matematiksel sistem kullanıyor olsaydık, bu yazıyı 6 sene sonra yazıyor olacaktım!

30, 34, 43 değildir bir eşik atladığınızı gösteren. Büyümenin başka işaretleri vardır.

Yıkılmıyorum, ayaktayım!

30. yaşımı idrak etmeden üç beş ay önce.

Popüler kulüplerden birinde, başka birinin doğum günündeyim.

Bangır bangır müzik, herkes dans ediyor, göz gözü görmüyor.

Saçım başım, blucinim, her şey yerli yerinde. Hatta yeni tanıştığım bir genç kadın **"Evli olmak için çok genç değil misiniz?"** gibi bir soru sorup minnettarlığımı kazanmış.

Karşıdan bizim dergilerde çalışan üniversite öğrencisi, stajyer genç kızlarımızdan biri geldi ve bana şöyle dedi: **"Gülse, yıkılıyorsun!"**

"Yapma yahu?"

"Hem de nasıl!"

Sonra gülerek, **"Burası patlıyor,"** deyip, basıp gitti, pistte dans etmeye başladı.

Düşünmeye başladım: **Ben bir tane votka-portakal içtim. Neden yıkılayım ki? Demin kalabalıkta biri çarptı, sendeledim, onu mu gördü acaba? Sigara dumanından gözlerim kızarmış olabilir mi? Herkes beni sarhoş mu zannediyor şimdi? Ayrıca burası niye patlıyor?**

Ertesi gün daha çok "partileyen", benden genç olmasalar da "hep genç kalan" arkadaşlarımdan gerçeği öğrendim: **"Yıkılıyorsun"** demek; genç argosuyla "Çok hoş görünüyorsun" manasına geliyormuş. "Patlamak" da, "Burada müzik iyi, çok kalabalık, çok eğlenceli, herkesin kafası kıyak, coşulmuş" gibi bir şey demek oluyormuş.

Diyeceğim o ki, sayılar değil önemli olan.

Artık ilk gençlik yıllarınızı terk ediyor olduğunuzun daha belirleyici bir işareti vardır: **Genç argosunu anlamamak.**

Gençlerle iletişimin bu kadar çok konuşulduğu bir zamanda, belki dikkate şayan bir tespitimdir!

DİSKODA MATİNE!

Gençlik göreceli bir kavramdır. On altı yaşındayken, 30 yaşındaki insanların tek ayağı çukurda gibi gelirdi bana.

Şimdi de, daha genç olduğum yıllarda aklımın başında olmadığını düşünüyorum. O kadar saçma sapan şeyler hatırlıyorum ki.

Mesela matine diye bir şey vardır diskolarda, biliyorsunuz, gençler için.

İnsan gündüz diskoya gider mi?!

Dışarıda güneş parlıyor, açıkhava, sen kapkaranlık bir yerde, tepende yanar döner top, bangır bangır müzik, arkadaşlarınla kola içip etrafa bakıyorsun!

Hayır etraftakiler de senden farklı değil ki.

Sonra da "Ay cumartesi süper eğlendik!"

Tam bir felakettir. Kızlar makyaj yapar, yakışmaz, erkeklerin okul kravatları bir türlü yerinde durmaz, hep yamuk yumuk.

Öğretmenlerle saç, baş, tırnak, etek boyu kavgası...

Odaya kapanmalar, günlük tutmalar. Dinlediğin müzikler ayrı rezalet.

Gençliğin ve ergenliğin en güzel tarafı oldukça çabuk bitmesidir!

APARTMANSAL BELİRTİLER!

40, 50, 60 yaşına gelmek hiçbir şey ifade etmez.

Bir insanın yaşlanmaya başladığını gösteren başka belirtiler vardır.

Bir tanesi apartman hayatıyla ilgilidir.

Apartmanda yaşayan insanları kabaca iki gruba ayırabiliriz: "Gürültü yapanlar" ve "Gürültüden şikâyet edenler!"

Gençken hep gürültü yapan tarafsınızdır. Müziği sonuna kadar açarsınız, evde zıp zıp zıplarsınız, parti verirsiniz.

Eğer bunu yapanlardan şikâyet etmiyor, hatta üst katta çalan müziğe tempo tutuyor veya çıkıp partiye katılıyorsanız, hâlâ aynı gruptasınız demektir. Endişeye gerek yok.

Ne zaman ki kendinizi bir süpürge sapıyla tavana vururken veya üstünüzde sabahlık ve kızgın bir ifadeyle komşunun zilini çalarken buldunuz, anlayın ki, öteki gruba, şikâyetçi yaşlılar tarafına geçmişsiniz.

Artık kırışıklık kremi kullanmaya ve emeklilik dönemini planlamaya başlayabilirsiniz.

Pencerenin önünde oturup, sokakta oynayan çocuklara bağırmaya başladığınızda ise, bilin ki her türlü uzun vade plan ve kırışıklık kremi için artık çok geçtir...

YAŞLILIK NEDİR?

İnsanın yaşlandığını anlamasının, buruşmak, kırışmak, sağlıkta bozukluklar gibi işaretlerden çok daha belirgin, enteresan belirtileri vardır.

Bunların önde gelenlerinden biri şikâyet etmektir.

Aslında yaşlanmanın nüfus kâğıdı yaşıyla hiç alakası yoktur. Mesela, eğer ruhen yaşlandıysanız, ister 35 yaşında olun ister 85, hava hiçbir mevsimde asla sizin istediğiniz gibi değildir.

-Ay, hava da çok sıcak.

-Ay, hava da çok soğuk.

der durursunuz.

Hiçbir şey olmasa, ılık bir bahar havasına, "Ay, hava da bir garip!" denir.

Başka şikâyetler de olabilir tabii:

"Ay geç kaldık, ay çok erken geldik"; "Ofis de çok gürültülü bugün, ofis de çok sessiz bugün"; "Bu ev de çok küçük, bu evde çok büyük"; "Televizyonda da hiçbir şey yok, televizyonda da bir sürü program var aynı saatte, insan hangisini seyredecek?" şeklinde, günlük hayatın her detayını şikâyet mevzuu haline getirdiyseniz, üniversite yıllarında da olsanız, gözünüz toprağa bakıyor demektir.

Ya bu huyunuzdan vazgeçin ya da vasiyet yazmaya başlayın.

GÜZELLİK GEÇİCİDİR, AMA HERKESE BULAŞMAZ!

Sayın jüri üyeleri...

Yarışmalarda jürinin işi kızlardan daha zordur.
Kızların kendilerini göstermek için üç dört şansları vardır: İlk geçiş, kıyafetli geçiş, soru cevap bölümü, mayolu geçiş.
Birini batırsalar, ötekini kurtarabilirler.
Oysa jüri üyesinin 15 dakikalık şöhreti sadece 30 saniye sürer.

Uzun zamandır beklediğim teklifi aldım:

Bir yemek yarışmasında jüri üyesi olacağım!

Türkiye'nin önemli gurmeleri ve bir de (nedense) ben, oturup, birbirinden iddialı yemekleri tadıp not vereceğiz.

"Hmm, evvveeet. Doygun bir tat. Türk motifleri de var. Bir yandan da gerçek bir 'nouvelle cuisine' örneği."

Hem hapur hupur atıştırıp hem ukalalık edeceğiz yani.
İkisini de severim!
"Jüri üyesi olur musunuz?" dediklerinde önce korktum. Kısa bir süre önce bir mankenlik yarışmasında jüri üyeliği yapmışlığım var. Kazık bir iş. O tür bir yarışma zannettim.
"Bu yarışmalara katılan genç kızların Barbi olmak yerine, yaş itibarıyla, evde Barbi oynuyor olmaları gerekmez mi?" tartışmasıyla ilgili bir zorluktan bahsetmiyorum.
Çok genç yaşta çalışmaya başlamak herkesi vaktinden çabuk olgunlaştırır ve ideal bir durum değildir.

Ama özellikle Türkiye'de, çocuklara yaptırılan bazı işlerin mankenlikten daha zevksiz olduğu kanısındayım.
Oto tamiri, halı dokuma, sokakta simit/selpak satma, ayakkabı boyama gibi uğraşlar, inanın, kameraya bakarak gülümsemek ve podyumda yürümekten daha zordur.
Ayrıca, modellik yapmak yerine, mesela, günde 12 saat halı dokumayı 'tercih eden' bir kızımızın kazancının da 20'ye 1 oranında daha düşük olduğunu hesaplayabiliyorum.
Ama problem şu:
Bu yarışmalarda "En güzel kızı" seçiyorsunuz.
Bu ne demek? **"Geri kalanlar çirkin. Bambaşka hayaller kurmaya başlamak, ya da bunalım geçirmek üzere evlerine gidebilirler!"**
Yine de kabul ettim.

Jüri selamını atlatırsan geçtin!

Elbette, bir büyük otelin salonunda toplandık.
Bir masaya dizildik. Karşımızda uzunlamasına podyum. İki yanında seyirciler oturmuş.
Podyum karanlık, ama ne hikmetse jüriye spotlar tutulmuş. Dolayısıyla herkes bize bakıyor!

Yarım saat kadar kâh sırıtıp kâh aramızda konuşuyor gibi yaparak, ve de utançtan ölerek öylece bekledik. Bu esnada, seyirciler bize puan vermek için bol bol vakit buldular. Ford Model Ajansı'nın Amerikalı temsilcisinin makyajı iyiydi. Moda fotoğrafçısı Hasan Hüseyin'in saçları ve Yıldırım Mayruk'un ceketi de fena puan almamıştır zannediyorum. Ben dore ayakkabılarıma güveniyordum, ama ne yazık ki ayaklarım masanın altında kaldı.

Kendimizi mayolu geçiş için hazır hissetmeye başlamışken, ışıklar karardı ve sunucu sahneye çıktı.

Yarışmalarda jürinin işi kızlardan daha zordur.

Kızların kendilerini göstermek için üç dört şansları vardır: İlk geçiş, kıyafetli geçiş, soru cevap bölümü, mayolu geçiş.

Birini batırsalar, ötekini kurtarabilirler.

Oysa jüri üyesinin 15 dakikalık şöhreti sadece 30 saniye sürer: "Bay/Bayan Falan Feşmekan, Carcurt kurumunun bilmemne 2. başkanı," dendiğinde, ne çok geç, ne çok erken, **doğru zamanlamayla hafifçe doğrulmanız, seyirciye** (ne sağ, ne sol sırayı unutmadan) **başınızı belli belirsiz eğerek selam vermeniz, bu esnada çok yılışmadan zarifçe gülümsemeniz, daha da önemlisi asla objektiflere bakmamanız, bir de işi uzatmamanız, ama çok da kısa kesmemeniz gerekmektedir.**

Küçük bir hata sizi bitirebilir!

Diyelim ki isminizin okunması bitmeden aceleyle ayağa kalktınız...

Bunu hissettiğiniz için utanıp aceleyle hemen oturmayı planlarken, yüzünüzdeki gülümseme yerini endişeli bir panik ifadesine bıraktı.

Üstelik erken oturduğunuz için, sunucunun isim okuma ritmini bozdunuz.

Jüri içindeki ağırlığınız bitti demektir. Sizin verdiğiniz puana puan denir mi artık?!

Ya yarışmayı televizyondan seyreden arkadaşlarınız? **"Ay, nasıl heyecanlıydın, hop oturdun, hop kalktın, GÜL GÜL ÖLDÜK!"**

On yıl bunu dinlersiniz!

Bunları düşünerek ismimin okunmasını bekledim ve müteakip saniyelerde dikkat kesilerek her şeyi dört dörtlük yaptım.

Sandalyeden doğruluş açısı ve yüksekliği, zamanlama, baş hareketleri kusursuzdu. Yalnız kendimi kasmaktan, yüzümde, gülümseme yerine "Iıy, nereden geldim buraya!" şeklinde bir ifade belirmiş olabilir.

Kızların geçişi başladı.

Milli kozmetik!

İtiraf etmeliyim ki, mankenlik ve fotomodelliğe en uygun ırk olduğumuzu düşünmüyorum.

Ancak 1942 yılında "Bütün güzellik, makiyaj, ve zarafet meselelerinin cevabını veren kitap" olarak tanımladığı "Güzel Kadın" adlı esere imza atmış Cemil Cahit Cem'e de şu hususta katılıyorum:

"Türk kadınlarının bacakları, daima, Avrupalılarınkine nispetle güzel olmuş, hele ayaklarıysa birçok Avrupalı seyyahların hayretlerini celbedecek kadar ufak ve zarif kalmıştır. Bu, bizim asil ırkımızın şükre değer bir hususiyetidir!"

Alın size "milli kozmetik!"

Yazar şunu da belirtmeden geçemiyor: *"Bugünün ayak ve bacak hatalarının mühim ve belli başlı bir sebebi, dümdüz asfalt caddelerdir. Bu suretle, ayaklar yerin intizamsızlığına uyarak hisleri ile basacakları yerde, hep ayni şekilde basmaktadırlar. Binaenaleyh, ekseri caddelerimizin Avrupanınkiler kadar muntazam olmayışını, biraz da hoş nazarlarla karşılamalıyız!"*

Caddeler 2002 itibariyle hâlâ engebeli olduğundan mıdır nedir, bizim kızların ayakları, bacakları gerçekten güzel.

Fakat yürüyüşler içler acısı.

Mankenlik kursuna gitmiş bir ikisi dışında, zıplaya zıplaya yürüyenler mi istersiniz, yengeç gibi yan yan salınanlar mı, heyecandan tek kolunu oynatmayı unutup sakat gibi adım atanlar mı?

Jürinin önüne gelip, elini beline koyup, kısa bir süre durup gülümsemeye sıra gelince işler daha da karıştı. Öyle reveranslar var ki, bizim Ayşe Hanım'ı aratır.

Top model Ayşe Hanım!

Ayşe Hanım iki yıldır bizim evde çalışıyor. 80'li yıllarda Bulgaristan'dan göç etmiş. Dolayısıyla Türkçesi oldukça iyi, ancak arada aksıyor ve ne dediğini çıkaramıyoruz.

İlk geldiğinde, Bulgaristan'da ne iş yaptığını sorduk. "Modelidim" falan gibi bir şeyler söyledi. 'Herhalde mankenlik yapıyordu gençliğinde,' diye düşündük. Neden olmasındı?

Ayşe Hanım 1.80 boyunda, güzel yüzlü bir kadın.

Gucci defilesinde değil ama, mesela Olgunlaşma Enstitüsü'nün amatör ekspozisyonları havasında bir gösteride veya prova mankeni olarak Ayşe Hanım'ı pekâlâ gözümüzde canlandırabildik.

Veya bir katalog çekiminde:

Arkada Sofya manzarası, önde mavi tulumuyla Ayşe Hanım, elinde tost makinesiyle gülümsüyor.

Biz Bulgaristan'ın ünlü mankeninin, neden bizim evde dolma sararak vakit geçirdiğini düşünürken, gerçek ortaya çıktı: Ayşe Hanım "modellik" değil, tekstil fabrikasında "modelistlik" yapmıştı!

Bu haber Ayşe Hanım'ın bizim gözümüzdeki eksantrik kişiliğinden hiçbir şey götürmedi.

Ne zaman ki içinde merdiven olan bir eve taşındık, Ayşe Hanım'ın yürüyüşü değişti!

Eskiden bezgin bezgin sürüklenen kadın, "Ayşe Hanım!" diye çağırıldığını duyunca koşar adım, boyun dik geliyor, karşımızda duruyor. **Dizlerini kırıp reverans yapıyor ve "Buyrun efendim!" diyor!**

İngiliz dizileri çizgisinde, merdivenin tetiklediği bir değişim!

O sanki Ayşe Hanım değil de, bir Mrs. Dashwood. Salona giriyorum, eldivenlerimi çıkarırken, gelip reveransını yapıyor.

"Mrs Dashwood," diyorum, **"lütfen kütüphaneye çay getirin. Ayrıca doğu kanadındaki yemek odasının şöminesini yakın. Erkekler avdan dönmek üzeredir. Mutfağa haber verin, bu akşam bıldırcın yiciiz."**

Mrs. Dashwood (Jane Austen'ı saygıyla anıyoruz!) yine reveransını yapıp odadan çıkıyor.

Halbuki ben bi kola istemiştim!

Yarışmaya dönersek...

Mayolu geçiş, tuvaletler vs.

Jüri üyeliğinin son anları manevi bir işkence oldu. Onlarca genç kız gözünüzün içine bakıyor. İşimizi çabucak bitirip, önde üç kız sevinç, arkadaki diğerleri hayal kırıklığı gözyaşları dökerken, sessizce dağıldık.

Patlıcanlı böreğin bozulması, marine edilmiş levreğin depresyon geçirmesi gibi bir ihtimal yok.

Onun için yemek yarışmasının jüri üyeliğini iple çekiyorum...

Çirkin kadın yoktur!

Bakım yaptırmamış kadın vardır. Ancak bu kozmetik işleri o kadar karıştı ki, neyin neye yaradığını öğrenmeye çalışmaktansa, çirkin kalmak tercih edilebilir. Temel'e sormuşlar "Güzel mi olmak istersin, aptal mı?" diye. O da "Güzellik geçicidir," demiş! Onun gibi.

Son zamanlarda kafam tamamen karışmış durumda.

Yıllarca Bazaar dergisini çıkardım.

Bakımdı, kozmetikti mevzularında bir şeyler öğrenmiş olmam

gerekir, değil mi? **Zaten problem de tam anlamıyla bu. Yarım yamalak bilgi!**

Cildi nemlendireceksin, temiz tutacaksın. Bunları herkes bilir.

Ama ya vitamin konusu? Cilt vitaminsiz kalmamalı. Bu arada **alfahidroksi** asitlerle vitamini birlikte kullanırsan cilt tahriş olabilir.

Göz çevresiyle dudak çevresi de ayrı bir konu. **Serbest radikallerden** korumak için özel kremler var. **Kolajenin** cilt altına enjekte edilmedikçe, krem halde etkisi yokmuş. Her şey aslında **Q10** denen maddede bitiyormuş.

Boyun olayı bambaşka.

Eller, kollar, selülit vs. hususlarından bahsetmiyorum bile!

Sürsek sürsek, ne sürsek?

Eğer yirmili yaşlarınızı bitirdiyseniz, yaşlılık başlangıcı belirtiler başlasa da başlamasa da, kozmetik konusuna derinlemesine eğilmekte yarar var. Önlem açısından.

Ama bu da göründüğü kadar basit değil.

Televizyonda yeni çıkan bakım kremlerinin reklamlarını seyrediyorum: "İşte, İsviçre bilmemne laboratuvarlarında üretilen formüle sahip krem. 15 günde mucizeyi göreceksiniz. **Çünkü bu krem hem alfahidroksi asitler hem de glikan içeriyor. İkisi bir arada**."

Hay Allah. Ben bunları hep ayrı ayrı alırdım. Onun için içimde böyle bir, ne bileyim, eksiklik hissettim hep!

Ayrıca Glikan kim? Saylonluların lideri mi?

Çare yok. Oturup okuyacaksınız. Moda dergisi, ansiklopediler, tıbbi dergiler, varsa eğer öyle bir şey "Dermatoloğun Sesi" gazetesi, ne bulursanız!

Ya da işi profesyonellere bırakacaksınız.

Bu amaçla, Nişantaşı'nda yeni açılan, Motus (isminden de anlaşıldığı gibi çok havalı, çok şık) spor ve bakım merkezindeyim. "Size prenses bakımı yapacağız," diyorlar.

Heyecan içindeyim.

New age müzikler eşliğinde, şık bir odada, etrafta dişçi aletlerine benzeyen aletler, ortalarında da bornozların, havluların, altında ben!

Kremler sürülüyor sürülüyor, siliniyor.

Masajlar yapılıyor, yine kremler sürülüyor.

Uyudum uyuyacağım.

Derken bir uzman sorusu aklıma geliyor: "Sizce cildim nasıl? Önce kırışacak mı, sarkacak mı?" diye her genç kadının aklında olan, ama kolay kolay dillendirilmeyen soruyu soruyorum! Güzellik uzmanım "Hiçbir şey olmayacak!" diye fısıldıyor...

O bir melek! Ben de prensesim zaten!

Şimdi elektrik veriyoruz!

Neden sonra, elime, etrafına ıslak havlu sarılmış bir kablo tutuşturuyor:

-Gülse Hanım, ben söyleyene kadar bunu elinizden bırakmayın.

-Neden? Elektrik mi vereceksiniz? Aha aha aha.

-Evet, hafif bir akım vereceğiz!

Ne? Nasıl ya?

-Yüzünüze saf oksijen sürüyorum. Elimdeki metal aletle yüzünüzde gezinip, cildinize vücudunuzda olan, düz bir akım vereceğim. Böylece oksijen, cildinize işleyecek.

Niye böyle şeyler hep benim başıma gelir ki? Otur evinde, nemlendiricini sür, kitabını oku. Al sana prenses bakımı! Elimdeki uçtan da minik minik iğne batmaları başladı mı sana!

-Benim elime iğneler batıyor. Kaç volt bu elektrik?

-Gayet normal. Bu etki ettiğini gösterir.

Kötürüm kalayım da gör! Ondan sonra cildin güzelmiş, ne işe yarar.

Elektrik faslından sonra, bu defa diş oyma aletlerinin vızır vızır iğrenç sesine sahip başka bir metal uçla, farklı bir bakım daha yapılıyor yüzüme.

Artık alıştık ya, kuzu gibi yatıyorum!

Ben aslında İskandinavım!

Ardından yine kremler, yine masajlar.

Çıkışta muhallebi kıvamındaydım. Aynaya bile bakmadım.

Kapıda bir arkadaşımla karşılaştım. Hoşbeş bitince şöyle dedi: **"Kendini yorma, git eve uyu!"** Anlam veremeyip yoluma devam ettim.

Bir çorapçıya girdim, alışveriş yapıyorum, satış elemanı bir süre hiçbir şey çaktırmayıp, sonra aniden kafasını kaldırıp bana şöyle dedi:

-Siz hasta mısınız?

-Yoo.

-Hayır, bembeyazsınız da. Ekranda daha şey duruyordunuz.

Aynaya bakmamla yerimden sıçradım!

Karşımda benim Norveçli versiyonum duruyordu!

Elektrikti, kremdi derken, yazdan beri biriktirdiğim, sonra Mauritius'a gidip özenle cila çektiğim, dokunmaya kıyamadığım tüm güneş yanığım silinmişti. Derimi kaç kat soyduklarını bilmiyorum ama, bebekliğimden beri bu kadar beyaz olmamıştım!

Yalnız hakkını vermek lazım.

O gün bugündür cildimden pek memnunum, pek iltifat aldım.

Diyeceğim odur ki, ya kendinle fazla uğraşmayacaksın, ya da uzmanından tavsiye alacaksın.

Demek ben elektrik akımından şikâyet ederken, o esnada epidermis tabakası bayram ediyormuş. Ben atalarımın arasında bir İskandinav olup olmadığını merak ederken, meğer kolajenler Q10'larla el ele vermiş, karnaval düzenlemişler!

Glikanları bilmiyorum, onlardan haber çıkmadı...

EKRAN GÜZELLERİ

Reklam kızları. Top modeller. Dergilerdeki mankenler...

İstediğinizi giyin, saatlerce makyaj yapın. Asla onlar gibi görünemezsiniz.

Bir kere onlar kapıdan içeri girdiklerinde, hafif bir rüzgâr eser ve saçları uçuşur.

Onlar topuklu ayakkabıların üzerinde yaylanarak ve yavaş çekim yürürler.

Siz yapabilir misiniz?

Onlar, durup dururken dudaklarını öne doğru uzatırlar, kafalarını arkaya atarak ve ağızlarını açarak kahkaha atarlar, parmaklarını ağızlarına götürüp (nedense) tırnaklarını ısırırlar.

Siz bunları yapsanız deli derler. Onlar yapınca herkes hayran hayran seyreder.

Çok güzeldirler.

Kırışıklıkları, sivilceleri, selülitleri yoktur. Gözlerinin beyazı bembeyazdır, dudakları şekillidir, saçlarında kırık bile yoktur.

Çünkü yüzleri ve vücutları, bilgisayarda, çeşitli rötuş programlarıyla, tarafımızdan düzeltilir!

Yıllarca moda dergisi çıkardım, bana inanın.

Ve bu kızlar, öyle güzel, öyle mükemmel görünürler ki, diğer kadınlar, yani odaya girince saçları uçuşmayanlar, onlardan için için nefret eder!

REJİMİN İÇ YÜZÜ!

Biraz kilolu olmak zengin gösterir!

Hayır. Yalan.

Sadece şişman gösterir.

Şişmanlık göreceli bir kavramdır.

Bir grup "zengin gösteren" kadının arasında, mesela, 80 kiloysanız, "Ayol inceciksin, artist gibisin, balık etisin!" denir. Siz de inanırsınız.

Şunu kabul etmek lazımdır: Kimse kimseye "şişmansın" demez.

"Şişman mıyım?" sorusuna,
"Saçmalama yahu!" veya,
"Olur mu canım, sen incesin!" yerine
"E yani..." veya
"Zaten ben çok zayıf sevmiyorum, ne o mankenler öyle!" cevabı verildiğinde, anlayın ki, ilk pazartesi rejime girmelisiniz!

Pazartesi uluslararası rejime başlama günüdür. Pazar günü başlanamaz mesela, nedense!

Yalnız şunu da unutmayın:

Şişmanlar her istediklerini yiyebilirler, yüzleri daha gergin ve parlak, elleri daha kemiksiz, daha güzel olur. Kalabalık sokakta biri çarpınca, yere düşüp yaralanmazlar!

Bazen ani rejim haberleriyle ülke sarsılır:
"Ekmek şişmanlatmıyormuş."
Eee, bütün o ekmeksiz yılların hesabını kim verecek?
"Üzüm şişmanlatıyormuş."
E hani meyve yiyin dediydiniz?

O tek başına şişmanlatmaz, ama bununla birlikte yiyince çok kötü. Ötekini pişirmeden yersen iyi, pişirirsen içindeki şeker ortaya çıkıyor, falan, bir sürü laf...

Tıp AIDS'e ve kansere çare bulmak üzere, ama hâlâ neyin şişmanlatıp neyin zayıflattığı tam olarak belirginleşmiş değil!

Bence bir grup şişman doktor arada çıkıp kafa karıştırıyorlar.

"Üzüm yiyin üzüm, hohoho. Hay Allah, üzüm şişmanlatıyormuş, yeni bulduk! Göğüs kanserini çözmek üzereyiz ama, üzümün kalorisini hesaplayamıyoruz, hahhahahayt!"

Şişman diyetisyenlere güvenmeyin!

KİBRİT KUTUSU BÜYÜKLÜĞÜNDE DENİZANASI!

Bana kalırsa bir insanın çekebileceği en acı yoksunluk, yeme içmeyle ilgili olanlardır.

Dolayısıyla rejim denen şey de, insanın kendi kendine yapabileceği en büyük işkencedir.

Aynı muamele, size herhangi bir otorite tarafından yapılsa, iş, insan hakları mahkemesine, servet tazminatlara kadar gider!

Düşünsenize, üç hafta her gün sadece lahana çorbası! Veya iki hafta sadece tereyağlı ekmek! Üç gün sadece meyve suyu ve şekersiz çay, kahve!

Bir de bu vardır rejimlerde: İstediğiniz kadar çay, bitki çayı.

Ay ne güzel, 40-50 bardak içerim artık, ne özgürlük!

Veya sınırsız marul.

Yaşasın, artık bu rejimle yağsız tuzsuz marullara istediğim gibi saldırabilirim. Ne özgürlük ne özgürlük!

Rejim yapan insanlar yaz mevsiminde de karpuz yemenin ucunu kaçırırlar. Çünkü karpuz aslında katı bir yiyecek gibi görünmesine rağmen bir yerde sıvıdır.

Mesela güneşte bırakıldığında kuruyup tamamen yok olabilir.

Yani denizanası gibidir.

Böyle bakıldığında denizanasının yenemediği için diyet meraklıları açısından büyük bir kayıp olduğunu da söyleyebiliriz.

Ama emin değilim, rejimlerde, yakında yağsız tuzsuz sınırsız denizanası da önerilebilir.

Maksat işkence olsun.

GÜZELLEŞİYOR MUYUZ?

Evrim teorisini doğru kabul edersek, uzunluk kısalık gibi özellikler, ihtiyaçtan doğmuş.

Yani, daha uzun ağaçlardan meyve toplayarak yaşamak zorunda olan veya vahşi hayvanlardan kaçmak için daha çok koşan ırklar, daha uzun boylu oldu.

Peki bizim evrime ne gibi katkılarımız olacak?

Bilgisayarda daha hızlı yazabilmek için incelmiş ve yeni kaslar yapmış işaret ve orta parmaklar.

Cep telefonu için, iyice gelişmiş, dolayısıyla 20 santime uzamış baş parmaklar. Artık avlanmadığımız, koşuşturmadığımız için incelmış kollar bacaklar. Solaryumlar ve ozonsuz güneş yüzünden, koyulaşmış, pul pul olmuş bir cilt. Fastfood'dan şişmiş göbek.

Televizyon seyretmekten dev gibi olmuş gözler...

Farkına vardınız mı bilmiyorum ama, ET'ye dönüşüyoruz, birkaç yüzyıl kaldı!

FİLMLER, TELEVİZYON, SAHNE VE ŞOV DÜNYASI...

Işıklar, müzik, sahne!

Öyle bir yer, öyle bir iş, öyle bir ortam bulun ki kendinize, o sizin sahneniz olsun. İsminizi tepeye yazdırmayı unutmayın!

Çırağan'daki Q Club'a, son zamanların bombası Nez'i seyretmeye gittik.

Genellikle "Türk Madonnası", "Türk suşisi" gibi benzetmeler sinirime dokunur.

Ama **Nez** için söylenen, **"Türk Shakira'sı"** sözüne pek bir diyeceğim yok.

Nez gerçekten başarılı. Şarkısı, dansı, özellikle de sahneye hakimiyeti. "Sahnesi iyi" derler ya... Öyle bir sanatçı.

Enerjik, seksi... O mekâna, ışıkların altına çok yakışıyor.

Cici kız, PJ Harvey!

Bir arkadaşım, Atlanta'da okurken, geçen yaz ülkemizde de sahneye çıkan, ünlü İngiliz rock şarkıcısı **PJ Harvey**, şehre, konsere geliyor. Bir şekilde ahbap oluyorlar ve PJ'i birkaç gün şehirde gezdirme görevi, bizimkinde kalıyor.

'Kendi halinde, ufak tefek, sessiz bir kızcağız,' diye düşünüyor arkadaşım, şaşkınlıklar içinde.

Hafif utangaç, hatta sıkıcı biri. **O açık saçık, çığlık çığlığa şarkıları yazan ve söyleyen bu mu?**

Derken, üçüncü günün gecesi, artık "arkadaş" olduğu PJ Harvey sahneye çıkıyor.

Ve kıyamet kopuyor.

O sessiz, ufak tefek, silik kız sahnede bambaşka birine, bir şeye, bir canavara dönüşüyor!

Çığlıklar atıyor, yerlerde sürünüyor, meydan okuyor... **Seks, skandal, isyan, rock'n roll, PJ'in 1.55'lik, ama sahnede, sanki 5-10 metreyi bulan gövdesinde üç boyutlu hale geliyor!**

Kadın, sahnede, yani kendi mekanında, devleşiyor ve yüz binleri ayağa kaldırıyor...

Küçük dev kadın

Aklıma **Annette Insdorf** geldi.

Columbia'da, beni en çok etkileyen sinema hocalarından biriydi. Uluslararası ünü olan, çok önemli bir film tarihçisi ve eleştirmen Annette Insdorf...

Bu 50 yaşlarındaki kadın, okulun koridorlarında öyle bir yürürdü ki, herkes çil yavrusu gibi dağılıp duvarlara yaslanarak yol verirdi.

Bütün erkek öğrencilerle gayet işveli konuşur, kız öğrencilere o kadar da bayılmazdı!

Ders anlattığında ağzının içine bakarak dinlerdik. Çok zekiydi, çok eğlenceliydi.

Uzmanlık alanı, sinemada Musevi soykırımının konu edildiği filmlerdi. Dünyada bu konuda otorite kabul edilen Insdorf'un, annesi, Auschwitz'de sağ kalmayı başaran ender Yahudilerdendi.

"Herhalde güzelliği sayesinde kurtuldu, kimbilir..." diye anlatırdı.

'Belli, Annette de çok güzel' diye düşünürdük.

Hepimiz hayrandık. Rengârenk giyinir, boynuna akla hayale gelmedik eşarplar bağlar, harika gülümser, çok seksi yürürdü.

Ünlü Fransız yönetmen François Truffaut hakkında yazılmış en iyi kitaplardan birinin yazarıydı Annette.

Hatta uzun zaman birlikte olmuşlar, denirdi. Truffaut, bazı filmlerindeki kadın karakterleri, Annette'den esinlenerek yaratmış, dedikodusu da vardı.

Odasına heyecanlanarak girilen tek profesördü.

Columbia Üniversitesi, Sanat Okulu binasının yıldızıydı.

Bir gün Annette'i ilk defa okul dışında gördük.

Sınıf arkadaşlarımla, okula yakın bir kafenin yola bakan masasında oturuyorduk.

Önümüzden Annette yürüdü, bizi fark etmeden karşı kaldırıma geçti ve manavdan alışveriş yapmaya başladı.

"Aa, bakın Annette," dedim.

Bir gariplik vardı, ama ne?

Derken içimizden biri, aynı anda düşündüğümüz şeyi söyleyiverdi:

"ANNETTE CÜCE!"

Nasıl da şimdiye kadar fark etmemiştik!

Annette'in bir vücut özrü vardı. Boyu normalden çok kısa, sırtı kambur, kafası vücuduna göre çok büyüktü.

Sokaktan geçen insanlar, hatta Japonlar bile, yanında dev gibi kalıyordu. Kocaman saçları, rengârenk tuhaf görünümlü giysileriyle Annette çok zavallı görünüyor, hatta biraz deliye benziyordu.

Sokaktan geçenler, onu fark etmeyip çarpıp duruyorlardı.

Annette, okuldaki enerjisine hiç uymayan, yorgun, acıklı bir yüzle, bir elma, bir muz aldı ve kese kâğıdıyla yoluna devam etti.

Kafede öylece donduk kaldık...

O sokaklar Annette'in "sahnesi" değildi. Yabancı yerlerdi.

Film okulunun koridorları, kürsüsü, Truffaut'nun resimlerinin süslediği odası olmayınca, gerçek çırılçıplak ortaya çıkıyordu.

"Taş yerinde ağırdır," derler ya...

Sahneni bulduysan, orada kal!

Geçen yaz, Cannes Film Festivali sırasında bir partide, **Annette'e rastladım.** Kırmızı bir tuvalet giymişti. Yanında 30'larında olduğunu tahmin ettiğim sevgilisi, etrafında ağzının içine bakan bir sürü filmci vardı.

Bir süre lafladık. Annette, sevgilisinin ve dostlarının çemberi içinde, festivaldeki kötü filmlerle dalga geçerken, sanki yine kendi sahnesindeydi!

Işıklar saçıyordu ve 1.30'luk boyuyla çok güzeldi!

Hayatta hepimizin ait olduğu mekânlar var.

Büyüdüğümüz, ışıldadığımız yerler, odalar, ofisler, dükkânlar, sınıflar, sokaklar, bize ait "sahneler".

Nez, PJ Harvey, Annette Insdorf, kendilerininkini bulmuşlar.

Umarım siz de bulmuşsunuzdur...

10 Derste, canlı yayında yapılmaması gerekenler!

Kendinizi kasmayın, çok rahat da bırakmayın. Cevap verirken acele etmeyin, bir de elinizdeki kâğıtla

origami yapmayın. Benim gibi spastik görünmeyin yani!

Sevgili okuyucularım,

Henüz çiçeği burnunda bir televizyoncu olarak, televizyonda program yapmanın en zor taraflarını açıklıyorum:

1. Sokakta, restoranda, dükkânlarda sizi tanıyan insanların tepkilerine uygun cevap verme mecburiyeti:

-Biz sizin büyük hayranınızız, siz şeysiniz, şey... Program da neydi? Şeydi değil mi? Neydi ayol? Ay siz birisisiniz, kimsiniz?!

-...

-Birse (!) Hanım, ben reklamcı olmak istiyorum, ne öğütlersiniz? Sizin çevreniz vardır, ben metin yazarı olmak istiyorum, Coca Cola için müthiş bir fikrim var. Anlatayım... (3-5 dakika) Bir elimden tutan olsa... Mesela siz?

-...

-Niye hep siyah beyaz giyiyorsunuz? Niye daha açık giyinmiyorsunuz? Niye etek giymiyorsunuz? Niye ekranda yaşlı gösteriyorsunuz? Niye iki hafta üst üste aynı ayakkabıyı giydiniz? Niye...

-...

-O anlattıklarınızı siz yazmıyorsunuz değil mi? Yok canım. Hayatta inanmam. Hadi hadi! Olamaz ki? Kim yazıyor gerçekten? Yok canım.

-...

2. Birtakım televizyon programlarına konuk olarak çağırılmaya başlamak.

Azıcık tanındık ya...

Bu tabii, daha zor bir durum.

Benim gibi, hafif mahcup biri için, zaten **"Haydi, hoppa, hep birlikte"** denir denmez otomatikman parmak şıkırdatılan, sanatçıyla yan yana geçilip ev dekorunda göbek atılan, **düğün salonu tadında programlar** ölümden beter!

Bütün ünlülerin isminin başına "Sevgili" koyup dedikodularının yapıldığı, "seviyeli" ilişkiler yaşayan ve **"artık sadece işiyle gündemde olmak isteyen"** şöhretlerin geyik yaptığı bir durumda da benim yerim yok.

Aslında eğlenceli olabilir, ama yıllarca dalga geçmişiz, eşin dostun gözünde ne duruma düşeriz?

Ayrıca onlar da beni ne yapsın? Dedikodu basını için bir hiçim!

Atlanan zıplanan yarışmaları da hemen reddediyorum. Sporun s'siyle ilgisi olmayan, ancak her türlü yarışma ve oyunda (Adam asma olabilir, tabu olabilir, sessiz film olabilir) benliğini garip bir hırs kaplayan ben, ilk turda kesin bir yerimi sakatlarım diye...

E geriye ne kaldı?

Sakin sohbet programları ve müzik televizyonları.

Ve bir müzik televizyonu, Number One TV, beni konuk olarak çağırınca kalkıp gittim.

Müzik televizyonlarında ilk kez!

Daha doğrusu şöyle oldu:

Son derece ciddi sesli Reyhan Hanım beni aradı, davet etti ve **"Ee, şimdi bunu gençler seyrediyor değil mi, 'genç işi' bir şeyler giymek lazım, şöyle 'sipor' kıyafetler, hehehe"** gibi sohbeti sulandırma çabalarımı püskürterek, iş toplantısı tarihi kararlaştırır gibi güne karar verdik.

Telefonu **"Canlı yayın, biliyorsunuz tabii!"** deyip kapatıverince, aldı beni bir düşünce!

Canlı yayın ne demek?

En küçük bir dil sürçmesi, bir salak lakırdı, "maksadını aşmış" (ne demekse) bir söz, anında Edirne'den Kars'a (!), 70 milyona (!) ulaşıyor...

Neyse ki Number One TV, "dermişim free" diyebileceğimiz bir müzik kanalı.

Yani parmağı kamera aracılığıyla seyircinin gözüne gözüne sokmak, VJ'lerin o günkü saç modelleri konusunda **"Nas olmaş? Yaaaa, yalancaaa, güzaaaal"** diye kameramanlarla dakikalarca sohbet etmesi, şiir okumak, "Sevgili Sezen", "deermişim", aşk konusunda öğütler yok!

Bunlara da güvenerek "Ya herrü, ya merrü" deyip, "genç işi" beyaz kotumu, beyaz tişörtümü giyip gittim.

Tarihi bir gün olacakmış meğerse o gün!

Senegal galibiyetinin üzerinden birkaç saat geçmiş, Sony Ericsson programının üç sunucusu **Pınar, Burçin ve Yiğit**'in üzerlerinde milli takım formaları var.

Ben de koltuğun üzerindeki minik Türk bayrağını elime aldım ve program başladı.

Erkekseniz teker teker gelin!

Canlı yayının şöyle bir özelliği var: Hiçbir soruya verdiğiniz cevabı sonradan beğenmiyorsunuz.

-Ne tür müzikler dinlersiniz?

- Leonard Cohen'in yeni albümünü aldım geçen gün, bir de şeyy...

-Gardırobunuzu açınca neler görüyorsunuz?

-Giysiler. Haaa, şey, daha çok kot mu acaba? Bilmem, daha çok rahat...

-Dergilere koyduğunuz konulara neye göre karar veriyorsunuz?

-Aslında kafamıza göre! Eheheh, öyle değil tabii ama...

-g.a.g.'daki esprileri nereden buluyorsunuz?

-Bilmem, öyle aklıma geliyor, gözlem, etraftaki, şeyler, kem küm...

Aslında sohbet hiç fena geçmedi.

Bu gençlik programları tempolu oluyor, bilirsiniz. Yarım saat boyunca onlar nefes almadan soru sordu, ben de nefesim yettiği kadar cevap verdim. 3'e karşı 1'dim ne de olsa.

Neden sonra, program bitip hepimiz kameraya el sallarken, fark ettim ki, **bütün sohbet boyunca ayakları uzatıp, koltukta kaykılıp, bir taraftan da elimdeki Türk bayrağıyla origami yapmışım!**

Ben bu sebeple canlı yayın gerginliğini atıp, evde oturur gibi rahat rahat konuşmuşum, ama bayrak yorgun görünüyor.

Şimdi bunu seyreden vakti bol bir vatandaş, bana kızmasın?

İş Hülya Avşar'ın ay yıldızlı balonlarına dönmesin? İşin yoksa mahkemeyle şununla bununla uğraş...

Şöhret zor iş şekerim!

Sen otur efendi gibi dergilerini yap, ne işin vardı televizyonda!..

TELEVİZYONDA GÜNDÜZ PROGRAMLARI

Bayıldığım bazı televizyon programları var.

Dünyada eşi benzeri olmayan karışımlar. Hakikaten.

Ev dekorunda, genellikle kadın sunucu olur. Konuklardan biri türkücü, biri doktor, biri de manken mesela.

Yani hem eğlenelim hem öğrenelim!

Ama ikisi tamamen birbirinin içine girmiş!

Sohbet edilirken, türkücüden şarkı isteniyor. Türkücü de kalkıp, evin ortasında, kanepenin önünde playback yapmaya başlıyor!

O da tamam. Ama eğlencede sınır yok!

Sunucu, mankenle doktoru da kaldırıp zorla göbek attırıyor.

Önce el falan çırparken, bakıyorlar bir ev partisi havası, herkes canı gönülden figür falan yapmaya başlıyor. En sonunda şarkı bitiyor, oturuluyor.

Şimdi böyle bir durumda hakikaten bir evdeyseniz ne olur?

Oturur, aynı tonda güle oynaya sohbet edersin.

Ama böyle olmuyor.

Az önce lay lay lay diye göbek atmış sunucu, oturur oturmaz, birdenbire şöyle diyor:

"Evet doktor bey, bağırsak düğümlenmesi belirtileri nelerdir?!"
Haydaaa. Yahu hani göbek atıyorduk, n'oldu?
Bir süre hastalıklardan bahsediliyor, canlı telefonla dert dinleniyor. Ortalık kasvet, gözleri dolanlar...
Sonra yine: "Eh, artık bir şarkı dinleyelim mi? Ama herkes ayağa hep birlikte, haydi bakalım."
Yine göbek havası! Umurlarında değil. Her şey çok normal!
Sakın yanlış anlaşılmasın, ben bu programlardan gözlerimi alamıyorum ve onları çok beğeniyorum!

GÖSTERİ DÜNYASININ ÇOCUKLARI

İyi ki bir sirkte falan doğmadım. Düz yolda yürürken düşen bir insandan, ipin üzerinde takla atmasını falan bekleyeceklerdi!
Hep üzülmüşümdür sirk ailelerinin çocuklarına.
Çocuk belki, ne bileyim, mühendis olmak istiyor. Yok, illa ki aslan terbiye edeceksin!
Bu kadar özel yetenek gerektiren işlerde doğuştan kabiliyetli olma ihtimali çok düşük. Bir sürü çocuk heba oluyordur.
-Senin oğlan, bugün gündüz vakti, sokmuş kafayı timsahın ağzına, uyuyordu valla!
-Vay kerata, gönderelim şunu askere de hanyayı konyayı anlasın!
Veya
-Baba, ablam bugün trapezde, havada ters takla atmadan gösteriyi bitirmiş ha..
-Hanım, bu kızdan bir halt olmayacak, evlendirelim bunu!
-Olmaz ayol, çok genç daha.
-O zaman, verelim birinin yanına, ateş mateş yutsun, evde oturmasın!
Halbuki belki kız süper bankacı olacak!
-Baba, ben bu yılandan korkuyorum.

-Salak mısın oğlum sen? Boa yılanından korkulur mu? Sinirleri bozuk bu çocuğun!

-Babası, kızma, bu yaşta olurmuş öyle garip korkular!

ENGELBERT HUMPERDINCK!

İnsan her imkânsızlığa, her çaresizliğe, her dezavantaja karşın umudunu kaybetmemeli. Amaçları için savaşmaya devam etmeli.

Açıkhava Tiyatrosu'na dünyaca ünlü bir şarkıcı geliyor. Adamın adı Engelbert Humperdinck!

Şimdi Engelbert Humperdinck ismiyle dünyada tanınma ihtimali nedir? Yani kaç kişi ismini hatırlayabilir?

Adam yapmış, başarmış. Ünlü!

Bizde daha az tanınan sanatçıların hemen ismini değiştirirler.

Afişlerde görürsünüz, Mehtap Güneş, Oryantal Venüs, falan.

Nedense, genellikle de böyle gökyüzü cisimlerinin adları seçilir!

Adam bu kuralı almış, çöpe atmış.

"Benim adım bu, beni bütün dünya Engelbert Humperdinck olarak tanıyacak! Mecburlar kardeşim, öyle iyi şarkı söyleyeceğim ki, o ismi ezberleyecekler!" demiş.

Yani, sanatçı bize ne vermek istiyor? Bütün imkânsızlıklara rağmen vazgeçmek yok.

MAFYA FİLMLERİ

Mafya, İtalya'ya özgü bir şeydir.

Belki de bu yüzden, başka ülkelerin, mesela Türklerin mafya tiplemeleri, bana hep biraz yapay gelmiştir.

Özellikle de filmlerde.

Mafya dediğin spagetti yiyip, Napoli şarkıları dinlerken, birilerinin ölüm emrini verir. Sonra da dışarı çıkıp kızının düğününe katılır ve kızıyla dans eder.

Şimdi bunlardan hiçbiri bize uymaz.

Mafya babası spagetti yerine, mesela ekmek bana bana menemen veya ince sarılmış zeytinyağlı yaprak dolma yerse, karizma biter.

Napoli şarkıları da dinleyemeyeceğini ve kendi yöresinin müziklerinin de muhtemelen ya çok oynak ya çok hüzünlü olacağını göz önüne alırsak...

Ayrıca, geleneklerimize göre, bizde kızın düğününde dans etmenin göbek atmaya tekabül ettiğini de düşünürsek...

Koskoca mafya babasının hiçbir ağırlığı kalmaz!

Bu yüzden Türk film ve dizilerinde, mafya babaları, akrabasız, düğünsüz bayramsız, koyu gözlükler ve takım elbiselerle, yemek yemeden, müzik dinlemeden, karanlık odalarda, büyük koltuklarda öylece oturan insanlar olarak karakterize edilir!

O adam, üstelik gayet de az konuşarak, o karanlık odada, 24 saat öyle oturur... Filmde kavgalar dövüşler olur, aşklar yaşanır, gece olur, sabah olur, aylar geçer, ama mafya babası hâlâ orada, aynı koltukta, aynı kıyafetle oturmaktadır!

İYİLER, KÖTÜLER VE ÇİRKİNLER...

Bir filmin iyi olduğunu anlamanın en iyi yollarından biri şudur: Filmin ilk dakikasından, kimin iyi kimin kötü adam olduğu belli oluyorsa seyretmeyin, vaktinize yazık.

İyi filmler sürprizlerle doludur.

Daha az iyi olanlardaysa, kötü adamların kötü olduğu zaten yüzlerinden okunur.

Eski Türk filmlerini gözünüzün önüne getirin:

Kötü adamların hepsi hem çirkin hem pis hem katil hem ahlâksız hem de ırz düşmanıydı! Yerlere tükürdükleri yetmiyormuş gibi, "nıhıhahaha" diye kötü yürekli kahkahalarla gülerlerdi!

Siz hiç Ayhan Işık'ın, "nıhıhıhaha" diye güldüğünü gördünüz mü?

Türk filmlerinde, bütün iyi adamlar gayet naziktirler, sadece gülümser ve teşekkür ederler. Sevdikleri kızı, nedense çözülemeyen, gerzekçe bir karışıklık yüzünden yanlış anlayıp, kendilerini içkiye verdikleri dönemler haricinde de sakal tıraşlarını ihmal etmezler!

Kadınlarda da aynı ayırım vardır.

Eski Türk filmlerinde, bir kadın sarı saçlıysa ve sigara içiyorsa, bilin ki o kötü kadındır!

Bunun tek istisnası Filiz Akın'dır, ama o da zaten zengin bir ailenin yurt dışında okuyan kızı olduğu için sarı saçlıdır!

Ben özellikle bu tür filmlerde kötülerin tarafını tutup, filmi de onların kazandığı anlarda bırakmayı tercih ederim...

ERKEKLER, VE TABİİ, MECBUREN ARABALARLA FUTBOL!

Ben de futbol yazdım!

Dünya Kupası, Avrupa Şampiyonası, Şampiyonlar Ligi... Bunun sonu gelmez. Sabah kahvesi keyfi dağıtılmış, pembe diziler zaptedilmiş, evin her köşesi bilfiil işgal edilmiş, mutfak fakruzaruret içinde harap ve bitap düşmüş olabilir! Böyle bir durumda bile yapmanızı istediğim şey azıcık sabretmektir. Ruh sağlığınızı korumanız için aşağıdaki tavsiyelerimi okuyun.

Lütfen dırdırlanmayınız!

Biliyorum, biz, yani kadınlar, genellikle futbol seyretmekten hoşlanmıyoruz. Pazar günlerinin futbola esir olmasından şikâyetçiyiz, evet.

Ayrıca, Greenpeace'de çalışabilecek, insanlığa başka konularda faydaları dokunabilecek, Televole'lerden anladığımız kadarıyla en azından şarkıcılık yapabilecek, gencecik, eli ayağı tutan 22 adamın sabah akşam bir topun peşinde koşmasını beyhude bulmanızı da paylaşıyorum!

Sonra birinin o topu iki direğin arasına gerilmiş ağa takmasının, **bunu sadece seyreden, konuyla doğrudan alakalı olmayan bir güruhun ömrünün en büyük mutluluğu veya yıkımı olmasını anlamamız** zaten mümkün değil!

Ama gözünüzü seveyim dırdır yapmayın!

Dünya Kupası bu, az buz şey değil.

Evde olabilirler, kanepeyle bir bütün olmuş olabilirler; maçları, aynı maçların özetini, özetler üzerine yorumları ve yorumlar üzerine yorumları, yani 24 saat futbol seyredip, kendi kendilerine bağırıp çağırıyor olabilirler.

Hatta daha kötüsü de olabilir. Bütün maçları kendileri gibi bir grup arkadaş getirerek seyredebilirler.

Bu da yetmiyormuş gibi, holigan misafirler için bira, kola, çay, patlamış mısır, sandviç, saatine göre kahvaltı, maçın sonucuna göre rakı sofrası talepleri olabilir.

Sabah kahvesi keyfi dağıtılmış, pembe diziler zaptedilmiş, evin her köşesi bilfiil işgal edilmiş, mutfak fakruzaruret içinde harap ve bitap düşmüş olabilir!

Böyle bir durumda bile yapmanızı istediğim şey azıcık sabretmektir.

Farz edin ki bir ay boyunca marka giysilerde yüzde 90 indirim var. Farz edin ki, alışverişi televizyondan seçerek yapıyorsunuz. **Farz edin ki, özellikle ayakkabılar sebil!**

Ya, işte onun gibi bir şey.

Kontrol edilemez bir aşk, kutsal bir kardeşlik, bir MÜPTELALIK gibi yani...

Futbol topu yoksa golf oynasınlar!

Bazılarınız şimdi hemen "Ay nedir bu futbol merakı? Biraz voleybol, basketbola, şöyle daha hoş sporlara meraklı olsak ya!" diyecek.

Ey Türk kadını:

Gelişigüzel seçilmiş herhangi bir Türk gencinin ortalama fiziki özelliklerini alırsak, mesela basketbolda üstün başarı gösterme ihtimali nedir?

Amerika'da basketbolun bu kadar popüler hale getirilmesinin sebebi, biraz da zenci gençleri sokaktan, aylaklıktan uzak tutmak, onlara bir amaç, bir hayal vermektir.

Çünkü zencilerin fiziği basketbol için idealdir ve böyle bakıldığında neredeyse hepsinin dünya çapında olma şansı vardır.

Basketbola ben de bayılıyorum.

Hayatımda en yoğun şekilde spor karşılaşmalarıyla ilgilendiğim dönemler de 12 Dev Adam'a rastlar.

Basketin taze popülaritesi, başarılarımız, basket oynamaya başlayan gençler, hepsi harika.

Ama futbolun da Türkiye için, özellikle Anadolu'yu, varoşları düşünürsek gayet gerçekçi ve faydalı bir spor olduğu kanısındayım.

Aynı çevreler için golfü, tenisi, kayağı da çok pratik bulmuyorum!

Çünkü futbol, nihayetinde bir top ve dört büyük taşla, yani minimum bütçeyle, her yerde oynanabilen bir oyundur.

Tamam da biz ne yapacağız?

Gelelim evdeki fanatiklere.

• Onları hoşgörün.

• İlişkinizi gözden geçirmeyin. Kendinizi kaybedip sonradan pişman olacağınız bir şey yapmayın.

• **Televizyonun önünden geçmeyin, maç sırasında futbol dışı gereksiz sorulardan kaçının.**

• Futbolun saçmalığını, o anda oynanan maçın önemini tartışmak, kanal değiştirmeyi teklif etmek gibi fuzuli çabalarla kendinizi de adamı da yormayın.

• Birdenbire futbolla ilgilendiğinizi varsayın, maçları dikkatle izleyin, puanları takip edin. **Hatta fikstürü kesip buzdolabının üzerine yapıştırın**.

• Her takımdan yakışıklı bir oyuncu bulup ona platonik bir aşk beslemeye başlayın! Maçları onu görmek için seyredin.

• Yalnız olmadığınızı unutmayın.

• **Hiçbiri işe yaramazsa, Pasiflora, kava kava özü, kedi otu gibi bitkisel sakinleştiriciler var, onları deneyin.**

• Ve yakında bu çilenin, en azından bir süre için biteceğini aklınızdan çıkarmayın!

ONUN ARABASI VAR

Çağdaş toplumlarda evlilik, kadın için bir sürü eğlenceli şey demektir:

Beyaz, şahane bir elbise, güzel bir yüzük, kendi seçeceği eşyalarla dolu bir ev... Kadın, bekârlığında yaptığı, kendine özgü zevklerden hiçbirini rafa kaldırmak zorunda da kalmaz.

Arkadaşlarıyla görüşür, alışveriş yapar, kuaföre gider, kitap okur, film seyreder. Hatta arkadaşlarıyla akşamları çıkmaya devam eder, çünkü o şehirli ve özgür bir kadındır!

Ama modern erkek için, bekârlıkta yaptığı keyifler artık bitmiştir.

Çapkınlık yapamaz, çünkü yasaktır.

Gece çıkıp arkadaşlarıyla içki içmeye gidemez, çünkü karısı izin vermez, zira o şehirli ve özgür olmayan bir erkektir!

Futbol seyredeceği zamanlar kısıtlanmıştır çünkü karısı sıkılır.

Makreme yaparak da oyalanamayacağına göre...

Erkek için geriye bir tek ilgi alanı kalır: Arabası.

Ve erkekler, özellikle evlendikten sonra, hayatlarındaki diğer boşlukları arabalarıyla duygusal bir bağ kurarak doldururlar.

SAVAŞ OYUNLARI

Biliyorsunuzdur, geçtiğimiz günlerde bilimsel olarak kanıtlandı:

Kadınlar, erkeklerden, genetik olarak daha gelişmiş yaratıklar.
Biz biliyorduk zaten.
Cinsellik herkeste varolan içgüdü.
Ama ikinci temel içgüdü, yani saldırganlık, kadında daha gelişmiş formlarda ortaya çıkıyor. Alışveriş ve dedikodu biçiminde örneğin.
Alışverişle saldırganlığın ne alakası var diyorsanız, ünlü markaların ucuzluk günlerinde dükkânlara bir uğramanızı tavsiye ederim.
Asırlarca savaşmış erkek cinsinde ise, değişen hiçbir şey yok.
Erkek piknik yaparken doğayla, bilgisayar oyunu oynarken bilgisayarla, evde tamir yaparken tamir ettiği eşyayla, futbol oynarken, hatta futbol seyrederken bile, karşı takımla *savaştığını* zannediyor.
Kadınları ağlamaktan perişan eden romantik aşk filmleri, verem olan insanlar, erkeklerin umurunda değil.
Ama filmde bir savaş sahnesi, cephede yaralı arkadaşını taşıyan bir asker falan çıksın, en sert erkek bile başlıyor gözlerini silmeye!
O erkeğin bir savaşa katılıp katılmaması önemli değil.
Hatta askerliğini 28 gün bedelli bile yapmış olabilir.
Erkekler hayatı, oyunları, her şeyi savaş zannediyorlar ve her dakika kahraman olmak peşinde koşuyorlar.

GÖBEK ALTI KEMER

Erkekler için göbek büyük problem.
Eğer belli bir yaşa geldiyseniz, günlük diyetinizin temel taşları, kebap, rakı ve kaymaklı ekmek kadayıfıysa, egzersiz rutninizi arabadan eve ve evden arabaya yürümek oluşturuyorsa, büyük ihtimalle sizde de içinde ne olduğu merak uyandıran dev göbeklerden var demektir!
Dev göbeklere sahip erkekler, giyim konusunda da zannediyorum epey zorlanırlar.
Bu dev göbeklerle normal insan silueti için yapılmış takım elbiseleri giymek zordur.
Dolayısıyla kumaş pantolon ve kemer konusunda iki çözüm geliştirilmiştir:

Birincisi, göbeği kendisi kadar dev bir pantolonun içine gömerek, kemeri göğüs altından bağlamak. (Bazıları pantolon askısı da kullanır ve fakat bu pipo içme zorunluluğu yüzünden pek rağbet görmeyen bir yöntemdir!)

İkincisi ve benim akıl sır erdiremediğim çözüm, pantolonu normal bedende alıp, göbeğin altında giymek.

İşte bu, fizik ötesi bir fenomendir!

Yarı çapı elli santime yaklaşan bir göbeğin alt kısmındaki kemer ve pantolon nasıl yerçekimine direnerek olduğu yerde durur?!

Bu nasıl bir terzilik, nasıl bir kesimdir?

Ya da kemerin tokası, içeride gizlenmiş bir mıknatısa mı bağlıdır?!

Bu tür geyiklerin konusu olmak istemiyorsanız, yediğinize dikkat edin, göbek yapmayın.

NAYLON ÇORAPLAR

Bence naylon çorap reklamlarını erkekler hazırlıyor.

Niye mi?

Kadınlar hazırlasa, reklamlar şöyle olurdu:

Herhangi bir kadın, elinde çorapla çıkardı. "Bakın," derdi, "bu incecik çorabı çekiştiriyorum, esnetiyorum kaçmıyor. Bakın, bel lastiği yumuşak, uzuyor, yani ne kadar kilo alırsanız alın, belinizi sıkmayacak. Bunlar de renk çeşitlerimiz." Bitti!

Bir kadının, bir naylon çorap hakkında tüm bilmek istedikleri bunlar.

Başkalarına ait muhteşem bacaklar bizi ilgilendirmiyor!

Biz çorap reklamlarında, 1.80 boyunda, incecik mankenlerin, upuzun, sütun gibi bacaklarını niye seyrediyoruz?

Çünkü o reklamları erkekler hazırlıyor!

KABA KUVVETE KARŞI MIYIZ?
KİME EL KALKAR, KİME KALKMAZ?

Dayağı tadında bırakınız!

Eğer dayak yiyen kadınlar, hep ilkokuldaki gibi erkeklerle eşit güçlerde olsalardı, iş mahalle kavgasına döner miydi? Yoksa, o şartlarda, zaten erkekler mum gibi mi olurdu?

İlkokulda çok kavgacıydım!

Özellikle, kızlara kötü davranan oğlanları pata küte dövmeyi görev edinmiştim!

Elim de ağırdı galiba. Benden korkarlardı.

"Kızlar-erkekler savaşı" oyununu bu dönemde icat ettik. Kurallar çok basitti: Kızlar ve erkekler iki gruba ayrılıyor, "Hücum!" denince, herkes tarihi filmlerde gördüğü "Allah Allah!" sesleriyle birbirine saldırıp dövüşmeye başlıyor!

On beş dakikalık teneffüs bittiğinde, daha az ağlayan, pes etmeyen grup kazanmış oluyor.

Kazanan grup, ter içinde, saç baş dağılmış, siyah önlükleri tozdan bembeyaz, yakalar kopmuş, ama gururlu, sınıfa girip ders boyunca, karşı gruba ikide bir **"N'aber, mahvettik sizi!"** manasında dil çıkarıyor!

"Öteki", kızlar için bütün erkekler.

Erkekler için, bütün kızlar. O yaşlardayız.

"Karşı taraf"a hissedilenler karışık.

Düşmanlık, merak, saldırganlık bir arada. Erkeklerin, beğendikleri kızların saçlarını çektikleri, ellerine kalem batırdıkları dönem.

Bir gün baktım ki kızların hepsini kıstırmışlar köşeye. Onlar ciyak ciyak ağlarken, oğlanlar hem gülüp hem tekme atıyorlar.

Kendimi kaybedip öyle bir giriştim ki, ders zili çaldığında hayal meyal gördüğüm şu sahneyi hatırlıyorum: Beslenme sepetinden hep muhallebi çıkan Mahmut, gözlüğü kırılmış, bir yandan ağlıyor, bir yandan da, "Ya haksızlık ya, Gülse gelmeseydi biz yeniyorduk savaşta!" diye yakınıyor.

Okulun demirbaşı olmuş, bizden üç yaş büyük ve boyu daha o yaşta neredeyse 1.70'e varmış, mahallenin en çok vukuat çıkaran çocuğu, kavgalarda genellikle berabere kaldığım Gökhan ise, köşede salya sümük!

Ertesi gün, annesi geldi okula.

Beni Öğretmenler Odası'na çağırdılar.

Öğretmen, Gökhan, annesi, karşımda duruyorlar.

Gökhan, enine boyuna, ikisinden de iri. Küskün küskün önüne bakıyor. İki katım hacminde. Önlüğü bile özel dikilmiş, çünkü onun boyuna göre önlük yok.

Bende de ponponlu çoraplar, saçlar iki yandan tutturulmuş.

Annesi, "Evladım, niye dövüyorsun Gökhan'ı?" der demez, odadaki diğer hocalar makarayı koyuverdiler!

"Bana ne!" dedim. "Önce o bana vurdu!"

Önce o bana vurdu!

Türkiye, kadın dövme istatistiklerinde birinci.

(Bunu her okuduğumda ilk kez duymuşum gibi irkiliyorum.)

Dünyada birinci olduğumuz başka bir şey var mı? Sanatla, bilimle, ekonomiyle ilgili bir konu mesela?

Son haber de tüy dikti: Dövmeyi abartmayalım, misvak veya mendille, hafifçe çarpmak kâfidir! Misvak malumuâliniz, o zamanın diş fırçası. Hafif, küçük bir alet. Maksat, terbiye etmek, uyarı, sembol.

Sebep: Kadının ailenin, evin huzurunu kaçırması.

Diyelim ki çorbanın tuzu fazla. E huzur mu kalır o evde?

Altında da çeşitli görüşler: "Evet doğrudur", "Yok, aslında tam öyle değildir."

Bir Batı ülkesinde bunun **"tartışıldığını"** düşünebiliyor musunuz?

İlkokuldaki gibi olsaydı, yani kadınlarla erkekler arasında fiziksel güç açısından pek fark olmasaydı, ne olurdu acaba?

Kadınlar "Önce o bana vurdu!" diyebilselerdi...

Kadın döven erkekler, kontr dayağı yiyince, Gökhan gibi korkup sinerler miydi?

Yoksa bizim ilkokulda yaptığımız, bir türlü galip gelinemeyen "savaş"lar mı başlardı evlerde?

Ve kadın dövme konusunda, yemek tarifi veriyormuş gibi, alet edevat tercihini konu eden insanları neyle dövmek lazım?

Misvak? Mendil? Beysbol sopası?

Sembolik olarak yani.

Huzur açısından...

KAFA ATMA!

Bayılırız kavgaya!

En küçük tatsızlıkta, yumruklar, tokatlar konuşur.

Sadece bunlar da değil, bizim yerel kavga figürlerimiz vardır.

Mesela göğüs darbesi, parmak uçlarıyla rakibin alnını itmek, bir de aralarından en popüleri: Kafa atmak!

Kafa atma işini anlamak zor.

Yani amaç, rakibin kafasını kırmak veya beyin sarsıntısına sebep olmaksa, aynı tehlike senin kafan için de geçerli değil mi?

Yumurta tokuşturmak gibi, yüzde elli şansın var.

Sonra işi çözdüm!

Adam, elbette, içgüdüsel olarak, en az kullandığı organını tehlikeye atıyor! Eline meline bir şey olsa mesela, Allah korusun, tespih çekip sigara bile içemez!

SEN BENİM KİM OLDUĞUMU BİLSEN N'OLCAK?

Tehditlerin çoğu, yapanı komik duruma düşürmekten başka bir işe yaramaz.

"Bir daha seni burada görmeyeyim, bacaklarını kırarım"ın, hakikilik açısından, "Yemeğini yemezsen seni öcülere veririm"den pek bir farkı yoktur.

Bir de daha üstü kapalı tehditler vardır.

Mesela bir klasik olan:

"Sen benim kim olduğumu biliyor musun?"

Genellikle "Yo, bilmiyorum, kimsin?" denmez.

Bu tehdit, arkasından başedilemeyecek bir gerçek çıkması ihtimaline karşılık, "Bana ne lan, kimsen kimsin!" diye üstünkörü geçiştirilir.

Zaten "Kimsin bakalım?" dense de, kimse: "Eh, ben 1965, İzmit doğumluyum. Hesap uzmanıyım, özel bir şirkette çalışıyorum. Hobilerim arasında kartpostal biriktirmek..." falan diye anlatmaz.

Genellikle:

"Ben bilmemkimin yeğeniyim!" diye bağırılır!

Böyle bir şey vardır.

Kimse, nedense, önemli birinin oğlu, kardeşi, komşusu, asker arkadaşı falan olduğunu iddia etmez.

Herkes muhakkak o adamın yeğenidir.

Yeğenlik kavramı önemlidir.

Torpil yaptırabilecek kadar yakın ve kutsal, ama yalanın ortaya çıkması ihtimalinde de, "Canım, yeğeni dediysek memleketlisi," veya "Canım, yeğeni dediysek, uzaktaan," diye idare edilebilecek, bıçak sırtında, kendine özgü bir akrabalık ilişkisidir!

AŞK, MEŞK, ÇIKMA, AYARTMA VE SONUÇ: EVLİLİK

"Çıkma"nın görgülüsü!

Okuduk, inceledik... İşte evlilik öncesi, çıkma, iltifat kabul etme, nişan bozma gibi ilişkilerle ilgili görgü kurallarının Frenkçe kitaplarda yazanı. Yani doğrusu. Yalnız tabii, gerçek hayat, her zaman kitaplardaki gibi olmayabilir.

Yine eşsiz bir hizmet peşindeyim.
İşyerim yeni binasına taşındı.
Ve benim 11 yıllık iş hayatı sonrası hâlâ bir odam yok!

Ne var ki bu defa sağ olsunlar, en azından hizmetime özel bir bölme vermişler. Bir çalışma masası, sandalyesi, önünde bir sehpa ve bir misafir koltuğundan oluşuyor. Sağ taraf cam, önünde bir bitki. Etrafı da ferah.

Yani dört de duvar koysalar basbayağı oda olacak. Tek o eksik.

Bu da bir şeydir. Şikâyetimiz yok. Biz basın emekçisiyiz, her zaman halkla iç içeyiz!

Ve fakat, fena halde "danışma" havasındayım. Bütün gün bu:

"Muhasebe nerede?"

"Aktüel kaçıncı kat?"

"Burada kahve makinesi var mı?"

Sadece bunlar olsa iyi. Masanın önündeki sehpayla koltuğu cazip bulan eş dost, kahvesini kaptığı gibi, soluğu benim "danışma"da alıyor.

Mevsimden midir, son günlerde Ahmet Altan'ın kitabı, Richard Gere'in filminden midir nedir, herkes hasar gören ilişkilerden dertli.

Nedir bunun raconu?

Metropol hayatı bizi duman ediyor.

Sadece işin duygusal tarafıyla değil, pratik problemleriyle de uğraşmak zorunda kalıyoruz:

"O beni iki kere aradı, ben onu arasam mı?", "Mesafe koyup akşam değil öğlen buluşsak diyeceğim ama, öğlende ben çalışıyorum!", "Ayrıldık da, ortak arkadaşları nasıl paylaşsak?", "Beyoğlu'nda benimkiyle yürürken, eski sevgilimle karşılaştık, tanıştırsa mıydım, ayıp mı oldu!"...

Gelip dertleşenlerin yüz çeşit stresinden doksanı "Neyi nasıl yapsaydım"la ilgili. Oturup sesli düşünüyorlar.

"Kemküm, ben de tam yazı yazıyordum" falan, nafile!

Doğrudur, aile terbiyesi sınırları içinde insana çatal bıçak tutmayı, "Ha" değil "Efendim" demeyi öğretirler de, aşk meşk mevzularında medeniyetten hiç bahsedilmez.

Derken elime bir kitap geçti: **Modern Görgü.** Yazar, İngiliz Drusilla Beyfus. 90'larda yazılmış, yani çağdaş bir eser.

Çıkma teklifinden, boşanırken mücevherlerin geri verilmesine kadar, aklınıza gelen bütün alengirli konular, görgü kuralları çerçevesinde, detayları ve bütün olası senaryolar düşünülerek kaleme alınmış.

En sık duyduğum sorunlar ve en ilginç bulduğum çözümleri bu yazıya alıyor, ofisteki misafir koltuğumu ise bundan sonra sadece işle ilgili konular, dedikodu ve kaliteli geyik amaçlı çalışma arkadaşlarımla sınırlıyorum!

Hizmetim budur, okuyan öğrensin, arzu eden kesip saklasın.

İltifat kabul etme:

İltifat edilen kadın gizemli bir biçimde gülümseyebilir, utanmadan neşelenebilir, iltifat fazla iddialıysa reddedebilir veya sıcak bir teşekkürle karşılık verebilir.

Yazarın gözden kaçırdığı hangi iltifata, bunların hangisinin yapılacağı. **"Deniz Akkaya'da bile böyle bacak yok!"** cümlesinin ardından **"Ay çok sevindim, yaşasın!"** diye utanmadan neşelenme, **"Ayşe Hanım, bu ömrümde yediğim en iyi su böreği!"** iltifatı karşısında **gizemli gülümseme** uygun kaçmayabilir.

Bu hususlara dikkat ediniz.

Çıkma teklifini reddetme:

En problemli çıkma teklifleri arasında "Seni ne zaman arayabilirim?" ve "Ne zaman dışarı çıkabiliriz?" gibi ucu açık sorular sayılabilir. Bunlar yalanın manevra alanını daraltan tekliflerdir. Böyle bir durumda araya tatil vb. imkânsızlıkların girmediği bir altı hafta veya daha uzun süre sonrasının tarihi verilebilir. Teklifi yapan erkek de çok kalın kafalı değilse anlar.

Yani "Ne zaman boşsun?" sorusuna, **"Valla bilemiyorum, gelecek yaz bir ara bakalım!"** gibi bir pişkinlik son derece uygundur.

"Çıkma teklifi" tamlaması, lise yıllarını hatırlatsa da, Türkçesi bu.

O yıllarda "Benimle çıkar mısın" diye teklif edilirdi; cumartesi günleri pizzacı ve film matinesi anlamına gelirdi.

Kızlar birbirlerine "Kaç çıkma teklifi aldın?" diye sorarlardı ve bu konuda rekabet çok acımasızdı!

Cici kızlar, çıkma tekliflerinin nasıl reddedileceği konusunda uzman olmuşlardı. Bahaneler çok seri sıralanırdı: "Annemlerle yemeğe gideceğim", "Ders çalışmam lazım", "Grip oldum", "Alışveriş yapacağım", "Babam izin vermez"... "Yazar bence bu konuda zayıf kalmış!

Nişan bozma:

Bizde **"nişanı atma"** diye tabir edilir. **"Yüzüğü attı"** da derler. Genellikle gerek nişanlılar gerek aileler arasında kavga dövüş çıktığından, en iyi ihtimalle yüzük birinin kafasına atıldığından olabilir bu.

Oysa yazar başka şeyler söylüyor:

Nişanı bozan hangi taraf olursa olsun, bunu açıklamak kadının görevidir. Arkadaş ve akrabalara telefon edilir, daha resmi düğün davetlilerine evliliğin gerçekleşmeyeceğine dair notlar gönderilir. Her şekilde, sebep açıklanmaz. Tarafların yakınları meraklarını kontrol etmek durumundadırlar.

Ben öyle bir yakın tanımıyorum! Kim ayrılırsa ayrılsın, ilk soru **"Neden ayrılmışlar"**dır ve düğünün kendisinden, gelinliğin modelinden, âşıkların nasıl tanıştıklarından çok daha cazip ve lezzetli bir dedikodu malzemesidir!

Bu hususlara dikkat ediniz.

Eğer iş, evlilik aşamasına geldiyse, o konuda başarılı olmak için, zannediyorum kimsenin yazabileceği belirgin kurallar yok.

İçgüdülerinizle hareket edin!

Dostlarım bana Gülse der!

Evlendikten sonra, kadın için, şu soyadı işi bir kâbus. Eskisi, yenisi, ikisi birden, neyi seçersen seç, sanki

başka bir fraksiyona üye oluyorsun. Tarafsız kalmak mümkün değil!

g.a.g. programının montajı yapılıyor.

Bir telefon:

"Gülse Hanım, programda ekrana isminizi yazacağız. Hangi soyadını kullanıyorsunuz?"

Eyvaaah!

O kadar bela bir iş ki.

Bu yüzden neler geldi başıma.

Evlendiğimde Şener olan soyadımı, dergideki editör yazılarımda Birsel diye değiştirince, Sex and the City kızları sinirlendi.

Selahattin Duman da "Şu bizim Gülse Şener koskoca dergi editörü ama, feministlere inat, kocasının soyadını aldı. Bravo, kadın dediğin böyle olur!" gibi bir yazı yazıp beni iyice bitirdi!

Gülse Şener kalsa ayıp. **"Ben senin soyadını almam, arkadaş!"** gibi kompleksli, lüzumsuz bir tavır.

Gülse Şener Birsel ise asla olmaz!

Büyük tektaş, Çırağan'da düğün, çift soyadı!

İki soyadı, en sinir olduğum şey. "Ben evliyim ama ezdirmem kendimi!" veya "Ben evlenmeden önce öyle önemli bir insan, öyle bir şöhrettim ki, geniş çevrem ve hayranlarım anlasın diye eski soyadımı da tutuyorum!" tavrı...

İsmin bir marka haline gelmiş olsa neyse...

Üniversiteden mezun olduk, bir sınıf arkadaşımız hemen evleniverdi.

Bir baktık, çift soyadı kullanıyor.

Hayatında hiç çalışmamış. Ünlü olmayı bırakın, sınıfta bile pek tanıyan yoktu!

İki soyadı da "er"le bitiyor mu sana!

Bu çift soyadı işi, resmi belgelerde kolaylık sağlaması dışında, tektaş yüzük, Çırağan'da düğün gibi, statü ve hava atma vesilesi olmuş bence!

"Ben şehirli, modern ve şık bir kadınım!" demenin bir yolu.

"Herkes öyle yapıyor, benim neyim eksik?" diye düşünen, Meksika dizilerindeki gibi uzun isimlerle dolaşıyor. Mesela, Ayşe Gülay gibi ilk ismi de ikili olanların durumu daha da vahim.

Godard'ın ***Weekend*** filminde, üst sınıf bir burjuva çiftin arabasına bir hippi atlar ve kafalarına silah dayayıp çifti sorgulamaya başlar.

Kadına sorar:

"Senin adın ne?"

Kadın ismini ve soyadını söyler. Hippi kızar:

"O senin kocanın ismi, senin adın ne?"

Kadın bu defa ilk isminin sonuna kızlık soyadını takar. Hippi yine mutlu olmaz:

"Bu da babanın adı, senin kendi ismin yok mu?!"

Zaman zaman misojen olmakla eleştirilen Jean-Luc Godard, sistemin temelini özetleyen gayet feminist bir mesaj vermektedir.

Şener, Birsel, ya da Şener Birsel...

Dostlarım bana Gülse der!

Dünya Kadınlar Günü'nü idrak ettiğimiz şu günlerde, erkeklerle aynı işi yapan kadınların daha az para alması konusunda bu kadar yaygara yapmayan ve şu soyadı işini her kadın için probleme dönüştüren bazı feminist arkadaşlara sevgilerimle...

HER YER KARANLIK!

İnsanlar merak eder durur, evlilik niye sevgililik gibi değildir diye.

Çok basit.

İnsanların sevgiliyken gittikleri yerlere bakın.

Mesela ilk çıkma.

Sinemaya gidilir.

Bu son derece yanlış bir seçimdir, çünkü daha yakından tanışmak için gidilen bir yerde, insan ne birbirini görebilir ne de birbiriyle konuşabilir!

Sonra mum ışığında yenen akşam yemekleri.

Yine karanlık, üstelik bir de alkolün etkisi eklenmiş.

Loş ışıklı barlar, gürültülü diskolar...

Görüntü ve sesin net olmadığı bir sürü yer!

Derken evlenilir ve güneş ışıklı, kahveli balayı sabahında, gerçek ortaya çıkmaya başlar.

Ciddi bir ilişki peşinde olan çiftlere, gündüz saatlerinde, çirkin bir semtte, floresan ışıklı bir yerde çay içmelerini tavsiye ederim.

Bu, ilişki için en iyi test olacaktır.

SEN NE DEDİN? BEN NE DEDİM?

Uzun ilişkiler ve evlilikler zor olabilir.

Benim gözlemlediğim kadarıyla, bu tür ilişkilerde edilen kavgaların yüzde doksanı, aslında ne olduğu, kimin kime, esasında hangi kelimelerle, ne dediğinden ibarettir!

-Ben öyle demedim.

-Hayır aynen böyle dedin.

-Esas sonra sen şöyle dedin, bir de böyle baktın!

-Ne? Ben asla bakmadım! Nasıl baktım?

Tavsiyem şudur: Herhangi bir tatil veya beyaz eşya harcamasından kısılarak satın alınıp, en çok kavga edilen mekâna yerleştirilecek bir sesli güvenlik kamerası.

-Ben öyle demedim!

-Dedin şekerim, arzu edersen kasedi izleyelim. Bak, demişsin! Teşekkür ederim, kavga bitmiştir. Aç televizyonu, vakit kaybetmeyelim, g.a.g.'ı falan seyredelim!

SEN DE EVLEN, SEN DE!

Diğer insanları kendine benzetmeye çalışmak konusunda evli çiftler ön saflarda bayrak taşır.

Misyonerler ve vampirlerden sonra, kendi gruplarını en çok genişletmeye çalışan tür bunlardır!

İlla ki herkes evlenecek.

"Ay hadi artık sen de evlen."

"Bak sana şahane birini bulduk, nasıl uygunsunuz nasıl!"

Böyle bir hırsları vardır.

Onu onunla tanıştırırlar, bunu buna ayarlarlar, bekârların tanışacağı yemekler verirler.

Rezalet.

Tasvir hep aynıdır: "Ay, nasıl iyi bir kız, tam sana göre!" ; "Ay ne kadar iyi bir çocuk, biliyor musun, tam evlenilecek adam!"

Sen, kendin, karınla veya kocanla, "iyi insan" diye mi evlendin?!

"Ayy, dilenci çocuğa sadaka verdi, bak kermeslerde de gönüllü çalışıyormuş, ay ne iyi insan, hayallerimdeki erkek, hemen evlenmem lazım!" Böyle bir şey yok ki.

Kimse, iyi insanlığa falan bakmaz.

Ben size söyleyeyim, diğer ilişkiler için hangi yüzeysel kriterler geçerliyse, evlilik için de öyledir!

TÜRK KADINI ALDATMAZ, ÇÜNKÜ...

Aldatmayla ilgili artık bir kelime daha duymak istemiyorsunuz, biliyorum. Çünkü son zamanlarda filmler, kitaplar, bıktık.

Fakat, bu konuda da çok malzeme olduğu kesin.

Mesela, birlikte olduğu kadının kocası aniden eve geldiğinde dolaba saklanan adamla ilgili, hem yerli hem yabancı, yapılmadık espri kalmamıştır.

Halbuki bu, son derece batılı bir çözümdür.

Türkiye'de şimdiye kadar gerçekleşmiş olduğunu ben sanmıyorum.

Neden derseniz, Türk evleri, dolaba saklanma olayına müsait değildir!

Türk evlerinde hiçbir şeye yer yoktur. Yani, bir iğne alsanız, onu koyacak yer bulamazsınız. Koskoca adam nereye, nasıl girecek?

Örneğin, yatak odası dolapları (ki onlara bazılarımız gardırop ve dolap kelimesini birleştirerek, "gardolap" tabirini uygun görürüz) her zaman tıklım tıklımdır.

Nedense bizde gardıroba giysilerden daha farklı şeyler de konur: Yorganlar, örtüler, çocukların oyuncakları, açılır kapanır sandalye...

Hatta çoğunun kapısı bile tam kapanmaz.

Bu durumda ne yapacaksın? Adamı balkona saklayacaksın.

O da olmaz.

Çünkü bizde, balkonlar da "gardolap" olarak kullanılır!

Şezlong, saksı gibi eşyaların aksine, ne kadar fazlalık varsa, balkonda yerini alır: Bisiklet, tüp gaz, karton kutular, patates, soğan, eski kanepe, kova, süpürge, merdiven...

Yatağın altında da, leğenlerin içinde, deniz yatağı, zıpkın, mayo gibi yazlık takım taklavat olunca, Türk kadınının evlilik dışı bir macera yaşaması, aşağı yukarı imkânsız hale gelir!

Zaten bu kadın, muhtemelen, evin derli topluluğunu bozmaktansa, yasak aşkına veda etmeyi tercih edecektir.

Bu sebeplerden, Türk kadını kolay kolay aldatmaz!

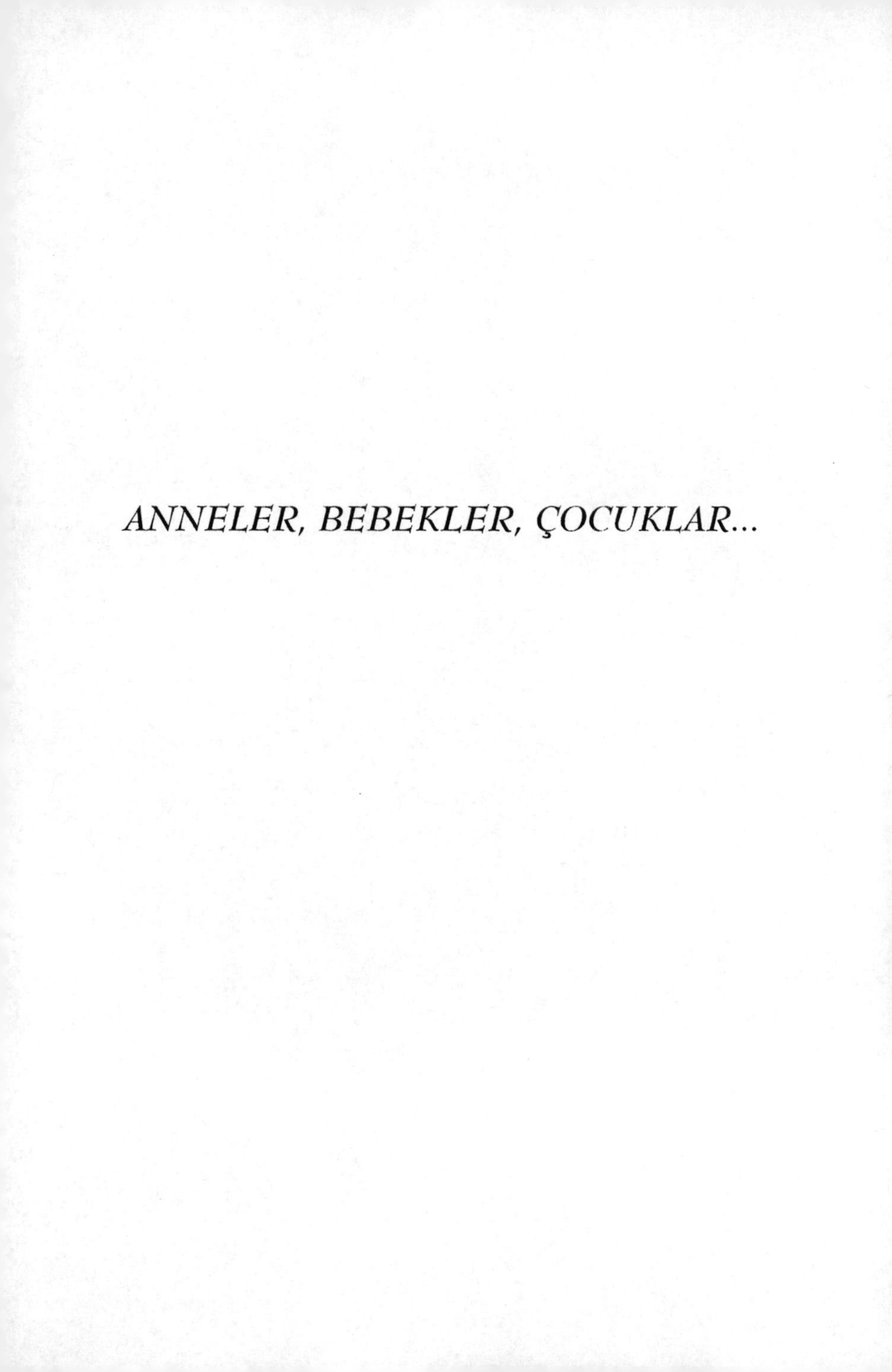

ANNELER, BEBEKLER, ÇOCUKLAR...

Canım annem, güzel annem, senin aklından zorun mu vardı?!

Hani çok kutsal bir şeydi bu iş? Hani çocuğu kucağına alınca insanın feleği şaşıyor, hayatın anlamı çözülüyordu?
Herkeste öyle olmuyor muydu yani? Yalan mı söylediler bize yıllarca?!

"Kendi kendime sorup durdum," diyor Sibel, **"benim yanımda hiç mi arkadaşım yoktu? Kimse niye zahmet edip uyarmadı beni? Nasıl herkes ağız birliği etmiş gibi gerçekleri sakladı?"**
Söz konusu gerçekler, üçkâğıtçı bir kooperatif, berbat bir tatil köyü veya uyuşturucu müptelası bir kocayla ilgili değil.
Sibel yeni anne olmuş bir kadın sadece!
"Neden kimse bu işin bu kadar zor olduğunu, sezaryeni,

emzirme dönemini, uykusuz ayları, ilk bir seneyi anlatmadı?" diyor.

Buralarda 80'li yıllarda, belki aslında daha da önce, ağır hasar almaya başlayan evlilik kurumunun kerameti, bir nevi her genç kadının evlenme mecburiyetinden ortaya çıkıyordu. İyi, kötü, berbat, her evlilik mühim ve ne olursa olsun hayırlı uğurlu, büyülü ve kutsaldı.

Ya ne yapacaktınız başka? İş, güç? Sosyal hayat? Aşk meşk?

Oturacak ev bile vermezlerdi belki.

Alternatifi, ne kadar güzel, akıllı, başarılı olursanız olun "kız kurusu" hayatıydı. En iyisi, bulup birini evlenmek ve mutlu ya da mutsuz, işin manevi afyonuna kapılıp gitmekti.

Bu zihniyetin ancak kırıntıları kaldı.

Anneyim, pişmanım!

Yıl 2002. Aylardan Eylül.

Altı kişi oturmuş konuşuyoruz. Üçümüz anne. Üçümüz değiliz. Taze anneler bu ender sosyalleşmeyi yudum yudum içiyorlar.

Yıl 2002.

Ve ilk kez ailesini terk edip tek başına yaşayan, ilk kez geceleri kız kıza gezip tozabilen bizim kuşaktan, yine ilk kez daha önce duymadığımız sözler duyuyoruz.

"Çocuk sevgisi insanın aklını başından alır, annelik, kadının hayatında önemli şeydir"e aslında o kadar da katılmayan yeni anneler itiraf ediyorlar. Yazının girişinde bahsettiğim Sibel dökülüyor: "Hayatım alt üst oldu!" Ve hemen toparlıyor: "Yani tabii şimdi çok seviyorum ama..."

Şimdi beş yaşında kızı olan bir başkası: "İlk doğum yaptığımda 'Anne oldum, hayata başka gözle bakıyorum' gibi bir şey hissetmedim. Tam tersi, çocuğu görmeye tahammül edemiyordum! Evden çıkamıyorum, süt vermem lazım, uykusuzluktan perişanım.

İşimi, arkadaşlarımı özledim. Psikoloğa gitmeye başladım. Birden anladım ki ben çocuk istemiyormuşum, etrafın dolduruşuna gelmişim!"

Biz, çocuksuzlar, gözlerimiz yuvalarından fırlayarak dinliyoruz!

Hani çok kutsal bir şeydi bu iş? Hani çocuğu kucağına alınca insanın feleği şaşıyor, hayatın anlamı çözülüyordu?

Herkeste öyle olmuyor muydu yani? Yalan mı söylediler bize yıllarca?! Üçüncü anne de dökülmeye başlıyor: "Doğrusunu isterseniz ben de ilk bir sene çocuğa karşı pek bir şey hissetmedim. Birbirimizi tanıdıkça iletişim kurmaya başladıkça sevdim. Ama ben sevgililerimi de severdim!"

İyi mi?!

Haydi, dökülün bakalım!

Derken biz çocuksuzlar da itiraflara başladık:

"Ben hamilelikten korkuyorum, doğumdan korkuyorum, işimi bırakmak istemiyorum."

"Ben ömür boyu birinin sorumluluğunu istemiyorum. Kendim için yaşamak istiyorum. Hayatımdan memnunum, hiçbir şey değişmesin!"

"Ben çocuk sevmiyorum. Sinirime dokunuyorlar."

Kimimiz büyük konuşup "asla" dedi, kimimiz biyolojik saatinin vücut kimyasını esir aldığı ve sabah yataktan **"Bırakın beni çocuk yapacaaaaam!"** diye kalkacağı güne kadar beklemeye karar verdi! Anlaşılıyor ki, en azından bazı insanlar için, çocuk sahibi olmakla ilgili hikâyelerin çoğu birer mitos. Çocuk yapmak; evlenmek, ev almak gibi... Yalnız tabii, onların aksine geri dönüşü yok.

Kendini hazır hissedeceksin, emin olacaksın, mucize beklemeyeceksin, sorumluluktan kaçmayacaksın, bir sürü şeyi göze alacaksın. Sonrası heyecanlı ve genellikle keyifli.

Yıldız yağmurları, periler, keman çalan melekler beklemek saflıktan başka bir şey değil. O zaman çocuk yapmayı yeryüzündeki en büyülü olay gibi anlatan anneler palavracı mı?

Yoo.

Hayatlarımızdaki başka boşluklara doldurduğumuz bir şey mi acaba annelik? Bize bağımlı, tehlikesiz, ne zamandır bulamadığımız, şahane bir sevgi mi mesela?

En sonunda etraftaki herkesten saygı, ilgi ve ihtimam? Bir konuda çok başarılı olabilme ihtimali? **Yapılacak bir iş, bir meşguliyet?** Hep isteyip durduğumuz, bize tamamıyla verilmiş bir sorumluluk?

Ve artık bazı kadınlar, hayatlarındaki boşlukları doğru malzemeyle, istedikleri gibi doldurmaya başlayınca, melekler de kemanlarını koltuklarının altına sıkıştırıp gidiyorlar mı?

"Mecburiyet", "tercih" olunca gerçekleri konuşabilme cesareti mi ortaya çıkıyor?

Anneler saatlerine bakıp homurdanarak ufak ufak evlere dağıldılar.

Hava henüz kararmamıştı, keyfimiz yerindeydi, biyolojik saatler sakindi. Biz de kalkıp ilk gördüğümüz sinemaya daldık!

ÇOCUKLUK BERBATTIR

İnsanlar çocukluk günlerini özler, "Ah ah, ne güzeldi çocukluğum, keşke o günlere dönsem!" derler.

Halbuki çocukluk berbattır!

Nasıl unutursunuz? Çocukluk, sizin yapacağınız her şeye başkalarının karar verdiği bir dönemdir!

İstediğiniz zaman yemek yiyemezsiniz, istediğiniz zaman televizyon seyredemezsiniz, tek başınıza dışarı çıkamazsınız. Okuyacağınız kitaplara, ne zaman uyuyacağınıza, kimle arkadaşlık edeceğinize, ne kadar çalışacağınıza, neyi, ne zaman ve ne kadar yiyeceğinize bile başkaları karar verir!

Çocukluğunuzda koyulan yasakların size şimdi uygulandığını düşünün!

Şimdi şöyle diyebiliyorsunuz: "Ay, öğlen çok yedim, akşam yemeği yemeyeceğim. Ama şuradan biraz çikolata alayım."

Çocukken mümkün mü? Diyelim ki, şimdiki yaşınızda, size aynı şeyler yapılıyor:

"Hayır çocuum, çikolata yiyemezsin. Yemekten önce yasak. Ayrıca akşam yemeği yenecek. Yiyeceksin. Hem de ıspanak yiyeceksin!"

"Asla yemem. Ayrıca ben gecemi planladım, harika bir film başlıyor, onu seyredeceğim."

"Olmaz. Film yok. Ispanağını yiyip erkenden yatacaksın! Yatmadan önce de ayaklar yıkanacak, süt içilecek."

Çocukluk sıkıcıdır, berbattır ve bitmek bilmez. Bence herkes büyüdüğü için şükretmelidir.

ÖZGÜR BEBEKLER

Belli bir yaşa gelene kadar, bebekler her şeyi yapma hakkına sahiptirler!

Altlarına çişlerini yaparlar ve hiç utanmazlar.

Ağızlarındaki yemeği "puff" yaparak her yere püskürtür ve buna oyun süsü verirler.

Her yere kusup, sonra etrafa gülümserler.

Kuralları onlar koyarlar.

Sebebi basittir.

Bebeklerin bütün organları, küçük, az gelişmiş ve nahiftir. Ses telleri hariç.

O ses telleri hiçbir çocukta, hatta hiçbir sopranoda yoktur!

Avaz avaz ağlamaya başladıklarında herkes canından o kadar bezer ki, bebeğin her istediği yapılır.

İstedikleri saatte uyur, uyanırlar. Sabaha kadar uyumasalar bile, güler yüzle sallanır, pışpışlanırlar. Aynı bebek, bunu 6 yaşında yapsa, "Hadi bakalım, saat kaç oldu git uyu, koş!" diye azarlanır.

Bebek, muzlu mamayı tükürürse, şeftalili mama yapılır; onu beğenmezse çileklisi verilir. Ama üç dört sene sonra, aynı çocuğa, zorla pırasa yedirilir!

Ve, her istediğinin yapıldığı bir dünyada, o sevinçle, hızla büyüyen bebek, çocuk olunca korkunç bir hayal kırıklığına uğrar!

Bebeklik belki de tüm insan hayatının en harika dönemidir. Ne yazık ki kimse değerini bilmez.

BEBEK DOĞUM GÜNLERİ

Çocuk sahibi olan ailelerde reflekstir. Her şeyden önce, gidip bir video kamera alınır.

Bebeğin her dakikası kaydedilir. İlk adım, ilk doğum günü, ilk diş...

Bu aile filmlerinde, bebekler gayet doğaldır. Gülerler, zıplarlar, kamerayı yakalamaya çalışırlar. Çok şekerdirler.

Dolayısıyla onların dışında video kameraya kaydedilen herkes, salak durumuna düşer!

Kameranın yöneltildiği bütün dost ve akrabaların eli ayağına karışır. Diyelim ki kamera amcayı çekmeye başladı. Amca önce el sallar, güler, bir adım ileri gidip dil çıkarır, çok zorda kalırsa "En büyük Cimbom!" gibi popülist sloganlara düşer! Derken, uzaklaşmayan kamera, koskoca amcayı, utanıp sıkılan, kötü espriler yapan, en sonunda "Ya, çek şunu suratımdan be!" diyen gergin bir şaklabana dönüştürür!

Böyle durumlarda, kameraya öpücük yollamak, bir başka yakına sarılıp, ondan güç alarak, resim çektiriyormuş gibi kol kola poz vermek ve çocukluktan kalan nanik hareketi, vakit kazandırıcı çözümlerdir.

Bu video çekimlerinin mutlu ettiği yegâne tipler, aslında sahne sanatçısı olması gerekirken, hasbelkader ev kadını olmuş, orta yaşlı hanımlardır. Özellikle bebek doğum günlerinde, müzik çalmaya başlar başlamaz, bebeği kaptıkları gibi ortada dans etmeye başlarlar.

Kamera, seyirciler, müzik her şey vardır ve aslında bebek bir aksesuardır!

Hele bebek üç dört yaşına geldiyse ve kendi başına da dans edebiliyorsa, sahne sanatçısı ruhlu teyze, bebeği taşımadan, sadece elinden tutarak, daha özgür figürler yapma şansını da elde eder!

Şöyle veya böyle, bebekler eğlencelidir.

ÇİKOLATA YEME, ISPANAK YE!

Doktorların şeker çikolata düşmanlığını anlamak mümkün değil.

Çocukken az çekmedik.

"Şeker yeme, dişlerin çürür!"

Yahu, onlar süt dişleri. Nasıl olsa yarın öbür gün dökülecekler. İstediğin kadar şeker çikolata yiyip, dişlerini hiç fırçalamadan dolaşma, hatta çürümüş kahverengi dişlerle umursamadan sırıtma lüksü yalnız çocukken var! Bıraksanıza rahat.

Yıllarca şunu dinledik: Ispanaktan önce pasta yok, çikolata yeme, ıspanak ye.

Sonra da, biz büyüyünce, keşfettiler ki, çikolatada insanı mutlu eden, gayet yararlı feniletilamin maddesi var. Ispanakta da hiçbir halt yok!

Hatta zannetikleri gibi demir bile yok. Temel Reis koskoca bir yalanmış yani!

Ya bizim mutsuz çocukluklarımızın hesabını kim verecek?

Bir araya gelip en azından tazminat davası açalım derim. Bana katılın, köşeyi dönüp en azından şimdi mutlu olalım.

EV YAPIMI ELMA ŞEKERİ!

Ne gereksiz bir azap yaşadık çocukken...

Kilo alman mümkün değil, alsan bile kimse şikâyetçi değil; buna rağmen, her türlü çikolata, şeker, abur cubur yasak.

Neden? Öyle.

Bence anne babalar da tam olarak bilmiyordu niye olduğunu. Çocuklar ağlayıp tepinirken, onlar da kendilerine göre çözümler bulmaya çalışıyorlardı. Mesela ev yapımı abur cuburlar.

"Annee, çikolataaa."

"Aa, bak, ben sana kakaolu süt yaptım, aynı şey, daha güzel!"

"Annee, şekeeer!"

"Ay boş ver şekeri, bak, ekmeğin üzerine çilek reçeli sürdüm, aynısı, hadi ye!"

Sonra da uluya uluya ağlayan çocukları susturmaya uğraşırlar!

E sizin suçunuz! Kakaolu sütle çikolatanın ne alakası var?

Elma şekeri diye, elmayı çubuğa saplayıp bala batırıp verirler çocuğa!

Çocuk küçük olabilir, ama salak mı?

Tat alma duyusu mu yok? Aradaki farkı anlamaz mı?

Bu muameleye maruz kalan çocuklar büyüdüklerinde de, kaçınılmaz olarak kafayı yemekle bozdular.

ANNELERE BULAŞMAYA GELMEZ!

Anneleri öfkelendirmeyin, çok tehlikeli olabilirler.

Anneler, yıllarca altınızı değiştirip, size zorla yemek yedirmeye çalışmış, aylarca uykusuz bıraktığınız insanlardır ve bu sebepten, sinirleri yay gibi gergindir.

Bu aşamaları geçirip, bu çileleri çektikten sonra, bir annenin rasyonel ve sağlıklı olmasını beklememek gerekir!

Mesela bir baba kızarsa azarlar, anne terlik atar.

Neden terlik? Çünkü eline o anda geçirebildiği üç boyutlu, kavranabilir tek obje odur. Yani o anda elinde çekiç olsa, onu da fırlatabilir!

Bunun sebebi, mesela sizin az yemek yemeniz de olabilir tabii. Aslında iyiliğinizi istemektedir yani.

Zaten çoğu zaman, annelerin cezalarıyla, ceza verme sebepleri arasındaki mantık ilişkisi tartışılır.

Mesela anne bağırır: "Ayağına bir şey giy, üşüteceksin, giy çabuk, bacaklarını kırarım!"

Şimdi, çocuk üşütse, en geç bir haftada iyileşir. Ama bacak kırığı, nereden baksan bir ay.

Dediğim gibi, anneler rasyonel değildir.

SAKLAMBAÇ

Çocukluğunuzda oynadığınız oyunları hatırlayın. Bence şimdiki hayatlarımızı çok etkiledi.

Mesela, sınıfsal ve her şeysel gruplaşmalar, bence o noktada başladı.

Çocuk oyunlarının çoğu, nedense hep birilerinin grup dışına atılması ve kalanların da hain kahkahalar atarak, kendi içlerinde kulüp oluşturmasıyla ilgiliydi!

Yakan topta gurur yapıp kaçmaz, topu yersin, yandın, çık.

Endetura bir ki üçte (!) yüzünü kontrol edemezsin, gülme tutar, yandın, çık.

Saklambaçta, hile yapıp yasak yerlere saklanmazsın, buldum seni, yandın çık.

Yani, en iyi kaçan ve saklanan, en üçkâğıtçı, en saman altından su yürüten, en hislerini belli etmeyen tiplerin birinci olduğu veya finale kaldığı organizasyonlar.

İş hayatı gibi, çok korkutucu.

Bir de ebe vardır.

Oyunun kalitesine göre kral veya bütün angarya ve zevksiz işleri yüklenen bir enayidir ebe.

Ebe, çocuk oyunlarının genel müdürü olarak da görülebilir.

Dikkat edin, şu veya bu şekilde, hâlâ aynı oyunları oynuyoruz!

EĞİTİM, DİL, KÜLTÜR, TARİH...
KOLAY MI?

Nasıl leydi oldum!

Kanepede oturmuşum, bir bacak önde. Yanında resim altı: "Gülse Birsel leydi okulu mezunu!" Hoppalaa. Kardeşim onu biz, bu köşede espri diye yazdık. Fotoğrafta geniş açı kullanılmış, eller de önde, yaba gibi kocaman çıkmış mı sana... Yani demeye getiriyorlar ki: "Leydi okulu, meydi okulu, pide gibi ellere çare yok!"

Bir nevi mesleki dayanışma duygusu zannederim.

Veya mesleki deformasyon da denebilir.

Röportaj tekliflerini geri çevirirken ezilip büzülüp ter içinde kalıyorum.

Bir özürler, bir mahcup haller ki sormayın: "Ben sizin gazeteyi/dergiyi/programı çok beğeniyorum, bayılıyorum, hatta hastasıyım! Ama... Bu hafta ben... Daha doğrusu....Eylülde program yeni döneme giriyor, o zaman mı yapsak... Ben utangacımdır da, konuşamam... Hay, Allah, ne yapsak. **Yapmasak**?!"

Bu noktada bana oynanabilecek en kurnazca oyun şu:

"Gülse Hanım, iki günümüz var, çok heveslenmiştik, kabul etmezseniz sayfalar boş vallahi!"

Bu esnada hemen editör ruhum, bedenimi ele geçiriyor. İşe prodüksiyon açısından bakıyorum:

"Panik yapmayalım. Ne zaman baskıya giriyorsunuz? Filmler müessesede mi yıkanacak, dışarıda mı? Kasetlerinizi çözen asistanınız var mı? İyi, bu bize zaman kazandırır. Yarın 11'de yapsaaak, siz hemen ofise gitseniz, resimler taransaaaa!"

Kardeşim, sana ne?!

Sen röportaj yapmak istiyor musun, istemiyor musun onu söyle.

Ne karışıyorsun elâlemin prodüksiyon planına. Sen olmazsan başkasını bulurlar röportaj yapacak.

Yine aynı şey oldu.

Bir Güngör Bayrak, bir ben!

Milliyet Cumartesi'den aradılar. Günlerden çarşamba. Yine hesap kitap yapıp, bütün sorumluluğu omuzlarımda hissedip ertesi güne randevu vermiş bulundum!

Röportaj gayet iyi geçti. Özgeçmiş, köşe yazıları, g.a.g, dergiler, sinema, şudur budur her şeyi konuştuk.

Bol bol da resim çektik.

Ekip koşarak sayfaları hazırlamaya ofise gitti, ben hafta sonu için Sapanca'ya...

Cumartesi. Sapanca. Saat: 10.30. Güneşli bir sabah.

Kahvaltıya, arkadaşlarımın yanına indim.

Masada bir dalgalanma:

-Ooo, Leydi Gülse, günaydın!

-Sana artık Güngör Bayrak diyebilir miyiz?
-Kalkın, yer verin yahu, leydi geldi.
Uyku sersemi, en geç ben kalktım diye dalga geçiyorlar zannedip sırıttım.
Güngör Bayrak esprisine bir mana veremediğimi, beyaz peynirimi bitirdikten sonra ifade edecektim ki, gazeteyi gösterdiler.
Sağ olsunlar, kocaman bir fotoğraf: Balkondaki banka, tam fotoğrafçı arkadaşın tarif ettiği gibi yan oturmuşum. **Tek ayak öbüründen önde. Eller dizlerin üstünde.**
Yanında resim altı, sıkı durun: "Gülse Birsel Avrupa'da bir leydi okulundan mezun!"

Öyle bir mana çıkıyor ki, sanki "Kardiş, ben leydi okuluna gittim, bu eğitimimin önemli bir parçası ve beni bugün bulunduğum yere getiren mühim bir tecrübedir, özellikle bunu yazın! Ayrıca zarif zarif oturmayı da orada öğrendim, bakın isterseniz göstereyim, siz de resmimi çekin!" diye ısrar etmişim!
Bu arada fotoğraf çeken arkadaş, arkadaki manzarayı da alabilsin diye geniş açı kullanmış.
Dolayısıyla benim ön tarafta duran eller yaba gibi, daha arkadaki kafam küçücük! **Yani leydi okulu, meydi okulu, pide gibi ellere çare bulunmuyor sonucu da çıkıyor röportajdan!**

Kapris yapacağım valla!

Halbuki muhabir arkadaşımız Yiğit Bey bana röportajın bir noktasında "Siz köşenizde, lisede gittiğiniz bir leydi okulundan dem vurmuştunuz, çok komikti gerçekten, nasıl bir yer orası?" diye sormuş, ben de **"Yok canım, ben yaz için gittim, Fransızca öğrenmeye!" deyip üç beş anımı anlatıp geçmişim**... Bu kadar.
Tevekkeli değil bütün artizler, mankenler, "Söylediklerimizi yazmıyorlar, çarpıtıyorlar!" deyip duruyor. Kızlar haklıymış vallahi!

Güngör Bayrak esprilerine yol açması dışında, şirin bir röportajdı, sağ olsunlar. Ama bundan sonraki söyleşilerde, yıllardır sanatçı taifesinden gördüğümüz her kaprisi yapmayı düşünüyorum:

"Soruları önceden fakslayın. Fotoğrafları ben veririm. O konuya girmem, girerseniz söyleşiyi bırakır giderim. Kapak olursam röportaj veririm. Karşımda ayna olmadan poz veremem! Üçten önce hiçbir yere gelemem, uyku saatim. Son saniyede günü ve saati değiştirebilirim. O fotoğrafçı olmaz, bu olsun. Kıyafetleri ben seçerim. Evde röportaj vermem. Kendi makyözümü isterim, ama parasını siz verirsiniz, dolar olarak! Kaç sayfa koyacaksınız? Sayfa çıkışını ben onaylamadan basamazsınız! Bi dakka, ben vazgeçtim, canım istemiyor!"

Ne şaşırıyorsunuz?

Bunlarla uğraşıp durduk senelerdir. Kolay mı?

Boşuna mı ufaktan televizyon sektörüne kayıyoruz? Bizimki de can...

Kalburüstü hanımlara diksiyon dersi!

Makyajlar tastamam, parfüm kokusundan geçilmiyor, vücutlar taş! Bir de konuşmayı öğrensek!

Aylardır "Defile yaz, moda yaz, gittiğin davetleri yaz" (sanki her gece o kokteyl senin, bu davet benim geziyormuşum gibi) diye, üzerimde psikolojik baskı uygulayan, çoğunluğu kadın, gazeteci arkadaşların gönlünü hoş etmek için gözlem yapmaya başladım.

Ayıptır söylemesi, yıllardır iş gereği, defile defile gezdik.

Mankenleri, davetlileri kanıksamışız.

Şöyle bir adım geri atıp bakınca, ilginç metropol manzaraları çıktı ortaya.

Daha çok da bir doğu metropolünden!

Giy tuvaletini, kahvaltıya gidiyoruz!

En son gittiğim defile mesela.

Mekân harika. Organizasyon mükemmel. Konuklar, olması gereken herkes.

Bir konuda Türk kadınlarının hakkını vermeliyim.

Defiledeki bütün davetliler çok bakımlıydı. Saçlar, solaryum, manikür-pedikür, makyaj tastamam!

Ancaaak...

Yerime oturdum.

Önce önümden kuyruklu bir tuvalet geçti.

Ardından yanar döner, payetlerle süslü, şifon bir elbiseyle, gösterişli mücevherler.

Saatin 16.00 olduğuna dikkatinizi çekerim!

Hanımefendiler,

Ne olursa olsun, gündüz saatlerinde bir defileye katılırken, tuvalet giyilmez!

Hatta, sırtı bele kadar açık şifon elbiseler, stras bantlı saten ayakkabılar, yüze göze, dekolteye pırıltı sürmek de uygun düşmez.

Bunlar gece kıyafeti, gece süsüdür çünkü.

Gündüz saatlerinde, abiye gece giysileriyle dolaşmak, Orta Doğu'ya özgü bir alışkanlıktır. Arap kadınları sever öyle gezmeyi.

Hatta onlar Yves Saint Laurent'in, Dior'un, haute couture tuvaletleriyle, birbirlerine öğle yemeğine, akşam üstü çayına giderler.

Ama onların sebebi var.

Zavallıcıkların bu giysileri yerinde/zamanında giyecekleri bir gece hayatları, o tür bir mondaniteleri yok.

Halbuki biz bu konuda hiç fena değiliz. Partiler, düğün-dernek, kokteyl, açılış gırla gidiyor.

O zaman neden?

Çünkü işi bilmiyoruz.

Gündüz giysisini kot, iş giysisini illa ki döpiyes, şık kıyafeti muhakkak payetli, işlemeli, abiye kumaşlı bir şeyler zannediyoruz.

Gündüz giysisinin şık olanını seçmek zordur ve bu, Batılıların, İtalyanın, Fransızın iyi becerdiği bir şeydir.

Onlar bir eşarp, bir kolye, kemer, şapka, şal kullanıp, hemen en basit gündüz kıyafetinin bile havasını değiştirirler.

Erkeklerde de aynı problem var. Çoğu Türk erkeği, tek pantolonla tüvid ceketi, kravatsız, ceket cebine mendil kullanmayı, gömlek üzeri süveteri bilmez.

Bizde erkekler, ya takım elbise-kravat, ya da Amerikan giyim kültürüne yenik düşerek, tişörtlü, spor pantolonlu hafta sonu kıyafetini giyer durur.

Betül Mardin, bir gün, Türklerin misafir ağırlamayla ilgili en büyük eksiğinin, hangi saatte ne ikram edeceklerini bilmedikleri olduğunu söylemişti.

Müthiş bir tespitti.

Yemek öncesi çay-pasta, akşam üstü kısır, sabah kahvesinde zeytinyağlı dolma, saat dörtte öğlen yemeği, kulağınıza tanıdık geliyor mu?

Bu kıyafet işi de öyle. Herhalde zamanla yerine oturacak.

Ne diyorsun hemşerim?

Haydi hepsini geçtik. En felaketi geliyor:

Şu diksiyon kirliliği ne Allah aşkına?

Bütün defile, etraftan şu konuşmaları dinledim:

Nabaaeerr? (N'aber?)

Napıyosaaan? (Ne yapıyorsun?)

Nasılsaaaan? (Nasılsın)

Çak şükeaerr? (Çok şükür)

Cannaaaam, çok şıksaaaan! (Canım, çok şıksın)

Silam söölee, tımam maaa? (Selam söyle, tamam mı?)

Çok güzaal, di mee? (Çok güzel, değil mi?)
(Özellikle bu sonuncusu beni delirtebilir!)
İşte havalı bir defileden gözlemlediklerim.
Bakınız, ekonomi de düzeliyor, artık bahane yok.
Şu şanslı azınlığın da, köy kökenli, burjuva murjuva, biraz daha rafine olmasının zamanı gelmedi mi?
Koskoca bir imparatorluk geleneğine ayıp oluyor.
Di mee?

Dilinize hâkim olun!

Yok olan dünya dilleri arasında Türkçe yok elbette... Dilimiz sadece, hayatımıza göre şekil değiştiriyor. Ama bütün bu değişikliklere rağmen, yabancı dil öğrenmemekte de inat ediyoruz.

"Arkadaşlar, trend kelimesi Türkçeye geçti mi?"
"Gay mi yazacağız, Türkçesi öyle okunuyor diye, 'gey' mi?"
Dergilerin yazı işlerinde kafalar karışık. Yeni yaşam biçimleri, yeni kavramlar geliştikçe, bu kelimelerin Türkçeye nasıl geçeceğiyle ilgili sorular ortaya çıkıyor.
Her yerde duyabileceğiniz konuşmalardan biri:
"Dün akşam, üzerimde bir sweatshirt, elimde bir mug cappuccino, zapping yaparak boyfriend'imin aramasını bekliyorum. Gay arkadaşım yanımda, son zamanların trendy barına gidelim diye ısrar ediyor. Süper bir mekânmış. Oysa benim sabahın köründe beyin fırtınam var."
Alın size İstanbul 2002! Yeni bir hayat, yeni bir aşk, yeni bir iş, yeni bir biz!
Ve yepyeni bir dil!

Sevgilim azıcık "denyo!"

Geçen gün, büyük gazetelerin birinde bir haber...

İşadamı açıklıyor: ***"Sevgilim Bilmemkim Hanım, biraz denyo!"***

Denyo ne? Denyo kim?

Bu kadar yaygın kullanıldığına göre, argo margo, var demek böyle bir kelime.

Ayrıca "Hanım"dan sonra söylendiğine göre çok argo da değil midir nedir?

Türkçe ne zaman yok olacak acaba?

UNESCO'nun bu konuda bir araştırması var. Dünya dillerini yok olma ihtimallerine göre 6 gruba ayırmışlar.

Mesela Kırım Tatarcası "Ciddi anlamda yok olmaya yüz tutan" diller arasında.

Bu da, o dilin 100'den fazla konuşanı olduğuna, ama bunların arasında çocuk bulunmadığına işaret.

Gagavuzca, Türkmence, Başkırca gibi başka Türk dilleri de "yok olmaya yüz tutmuş" grupta.

Dillerin yok olması sadece üzücü değil, tarihi anlama açısından da kayıp.

Geçtiğimiz yıllarda, Süryanicenin türemiş olduğu, eski ve tükenmiş bir dil, Aramice yazılar bulundu.

Aramice, İsa'nın ve etrafındakilerin kullandığı dildi. Bu gospel'lerin, yani dini yazıların, İsa'nın ta kendisi tarafından yazıldığı bazı dini çevrelerce iddia edildi. **Yazılarda geçen, Tanrı'yla insanın arasında hiçbir kurum olmaması gerektiğiyle ilgili sözler, kimilerince, kilisenin, şimdiki haliyle Hristiyanlıkta yeri olmadığı şeklinde yorumlandı.**

Bu konu üzerinde tartışmalar sürerken ve Aramice dilinin uzmanları yorum yapmaya devam ederken, Vatikan, bulunan gospel'lerin sahte olduğunu ve kilisenin bunları reddettiğini açıkladı.

Hatta bu hikâye, sonradan *Stigmata* adlı gayet kötü bir filme de konu oldu ve kilise tartışmaları tekrar gündeme geldi.

Çek şu umbrella'yı mirror'ın önünden!

Avrupa'da, şimdilik yok olma tehlikesi ile karşı karşıya olmayan 40 dil var. **Modern Türkçe de bunlardan biri.**

Zamanında Arapça ve Farsçayla, evet, belki zenginleşmiş, ama birçok kelimesini de kaybetmiş, yeni kavram ve icat isimlerini Fransızcadan, şimdi de her fırsatta İngilizceden almış ve almakta olan, **metropollerde değişen bir Türkçe.**

Doğrusunun İstanbul'da konuşulduğu iddia edilen Türkçe.

Çok akademik oldu galiba, hafifletiyorum:

Her zaman yeni kavramlar gerekmiyor yabancı kelimeler kullanmak için.

Birkaç yıl önce, bizim dergilerden birinin fotoğraf çekimi.

Nihat Odabaşı, **Seren Serengil**'i çekiyor.

Serengil'in ilginç bir özelliği var, karşısındaki aynadan kendini görmezse, poz veremiyor!

Dolayısıyla ikide bir Odabaşı'nı uyarıyor: **"Nihat'çım, umbrella'yı çeker misin, mirror'ı göremiyorum!"** diye.

Bizim çekim ekibi bir başladı, günlerce, yok "Arabanın yan mirror'ına çarpmışlar", yok "Yağmur yağıyor, umbrella da almamışım".

Bu gazeteciler böyle işte!

Özellikle **Ararat** filminin uluslararası platformlardaki tartışmalarında, en çok kulağımıza çalınan şu: **"Türklere bir yerde haksızlık ediliyor. Onlar kendi taraflarından hikâyeyi anlatamıyorlar ki. Çünkü İngilizce bilmiyorlar!"**

Daha korkunç ne olabilir?

Ben hem anadiline bu kadar yabancı sözcük sokan, günlük hayatta Amerikan kültürüne bu denli yakın olan, hem de hâlâ yabancı dil öğrenme konusunda bu kadar başarısız başka bir ülke bilmiyorum!

Aslında İngilizcenin bu kadar yaygınlaşması, diğer dillerin ölümü mü olacak diye de tartışmalar var.

London Times'taki 29 Mayıs tarihli makaleye göre, artık Londra'ya gelen turistler, İngilizlerden daha doğru ve iyi bir İngilizce konuşuyorlar!

Ayrıca daha küçük dillerin yok olma sebebi, sadece İngilizce değil, küresel ticaret, hızlı iletişim ve uluslararası diplomasinin artmasıyla, herhangi bir ortak dil arayışı.

Hoş, ortak bir dilin olması insanları kardeş yapacak, sorunlar çözülecek, bütün dünya el ele tutuşup şarkılar söyleyecek diye düşünmek de saflık olur.

Ama birbirimize yabancı kelimelerle hava atmadan önce, o kelimelerle cümle kurmayı öğrenip, azıcık da yabancılara hava atsak, **Batıyla el ele tutuşup şarkı söylemesek de, en azından derdimizi anlatacağız...**

Yani "denyoluk" etmesek de dil öğrensek diyorum!

Hah, anladım şimdi ne demek olduğunu.

Tevekkeli değil yabancı kelimeleri öğretmek için cümle içinde kullandırırlar...

İYİMSER EĞİTİMCİLER

İlkokul ve lise hayatınız boyunca neler öğrendiniz?

Ben size söyleyeyim:

Trigonometri, ki ne olduğunu hatırlayan bile azdır.

Kimya elementlerinin kısaltılmış isimleri, ki sadece bulmaca çözerken kullanırsınız! Divan edebiyatındaki kalıplar, ki hatırlamıyorum, ayrıca hatırlasam ne olacak?!

Bence, gençlerin eğitiminde büyük eksikler var.

En gerekli bilgilerden hiç bahsedilmiyor.

Örneğin, nasıl iş bulunur?

Faturalar nereye, nasıl ödenir?

Şehirde hangi otobüs, nereye gider?

Karşı cinse ilgi nasıl belli edilir?
Soba nasıl kurulur?
Sebzenin meyvenin tazesi nasıl anlaşılır?
Veya nasıl yumurta pişirilir?
Özellikle bu, hayatınızda sık sık başvuracağınız bir bilgidir, ama okulda öğretilmez. Ne der yemek pişiremeyenler?
"Valla yumurta bile kıramam!"
Ama trigonometri okudun, değil mi? Tek hücreli canlıları da biliyorsun...
Eğitimciler, nasıl iyimser bir gelecek hayal ediyorlar bizim için, acaba?
"Evladım, ne yumurtası? İleride sen Divan edebiyatı için yeni kuramsal kalıplar üretmeye çalışırken, ahçın da yiyecek bir şeyler hazırlar! Faturaları da şoföre verirsin, öder!"

HADİ KIZIM, İNGİLİZCE KONUŞ

Anne babaların çocuklardan bekledikleri şeyler bazen çok zor.
En yaygın olaydır, çocuk on bir, on iki yaşına gelmiş, üç beş kelime yabancı dil öğrenmişse, hemen turistlerin yanına gönderilir:
"Hadi çocuum, git konuş, hadi bakiim, o kadar okula yolladık!" diye.
Sıkıysa sen git konuş!
Tanımadığın insanlar!
Hatta, hadi kıyak yapalım, git Türkçe konuş!
Bakalım, durup dururken ne diyeceksin...
Yapamazlar, ama çocuğu yollarlar.
Çocuğu ne gibi bir sürpriz beklemektedir? Bakalım turistler nerelidir ve o yabancı dili biliyorlar mıdır? Veya, egzotik Türkiye tatillerinin ortasında, bir çocukla sohbet etmek isterler mi? Kimse düşünmez.
Çocuklardan beklenen bu tür şovların hiçbir sınırı yoktur.
Akşam oturmasına gidilir, çay içilmekte, televizyon seyredilmektedir.

"Hadi oğlum İngilizce konuş."
"Hadi kızım bale yap."
"Hadi oğlum folklor oyna, şiir oku, fıkra anlat, şarkıcı taklitleri yap."
Bu tür yersiz ve zamansız gösterilere yavaş yavaş alışan çocuk, bir süre sonra meslek seçimini belirler:
"Anne, ben dansöz olucam!"
"Ne? Kırarım o bacaklarını! Doktor olacaksın, mühendis olacaksın!"
E madem mühendis olacaktı, ne oynattınız çocuğu ona buna?
Bir mühendisin gidip her an yabancılarla başka bir dilde sohbet etmesi, fıkra anlatması, düğmesine basılınca bale yapması gerekmiyor ki.

Ancak animatör falan olacaksa faydası var.
Çocukları rahat bırakın kardeşim.

FASULYE DENEYİ

Çocukluğumuzun en büyük vakit kayıplarından biri, aynı zamanda da mega hayal kırıklıklarındandır!
Fasulye deneyinden bahsediyorum.
Evde, iki kat ıslak pamuğun arasında fasulye yetiştirmek zorunda kalanlar var mı aramızda?
Çocukları bitkilerle haşır neşir etmek, tohumdan bitki nasıl çıkıyor göstermek, güzel bir fikir.
Ama niye fasulye?
Pamukları ıslatırsınız, fasulyeleri arasına koyarsınız.
Güneşin önünde durmalıdır ve sıcak bir yerde olmalıdır. Camın önüne kaloriferin üstüne koyarsınız. Anneniz "Ayy, ne çirkin oldu salonda!" diye şikâyet eder... Direnirsiniz.
Her gün kontrol edersiniz, pamuğu ıslak tutarsınız. Günlerce beklersiniz.
Küçük, yeşil başlar verince, pamuğu aralarsınız ki, kafasını çıkarsın.

En sonunda uzun, manasız, yeşil bir bitki çıkar.
"Yaşasın, fasulye!"
Eee.
N'olacak şimdi?
Hiç, ondan sonra o atılır. Bu kadar.
Çünkü ne yenir, ne de süs bitkisi olacak kadar güzel bir şeydir.
Lüzumsuz bir deneydir.
Ne bileyim, nane yetiştirseler çocuklara, yemeklere konsa, çocuk kendini faydalı hissetse.
Sadece bu deneyle de kalmaz.
Fasulyeler farklı renklere boyanır, onlarla yazı yazılır.
Rezalet.
Fasuyle, ilköğretimde en çok zulüm gören tahıldır.

HAYVANLAR ÂLEMİ

Hayvan sevenler ve sadece ilgi duyanlar!

Ayda bir aşısı, pire spreyleri, tarakları, bakımları, vitaminleri. Yok efendim, eğitimi, psikolojisi, oyunu, süs faresi, şuduru, buduru... Ne bu be? Bilseydim çocuk yapardım! En azından, büyüyünce bana bakar!

Her defasında aynı şey.

Bütün hayvan dükkânlarının önünde, anne babalarının kucaklarında boy boy bebekler, çocuklar ve ben, saatlerce vitrindeki kedilere, köpeklere bakıyoruz. **Büyülenmiş gibi!**

Ve genellikle, mesela Himalaya cinsi, pofuduk bir kediyle aramızdaki cama rağmen sıcak bir iletişim kurduğumuz anlarda, yanımda kim varsa, ona dönüp "Haydi alayım şunu!" manasında, acıklı ve sürprizlere gebe bakışlar atıyorum.

Ancak cevap, yine kim olursa olsun, aynı: "Hadi hadi, yürü, kedi falan yok, sen onu da atarsın!"

Kendimi, ev hayvanları üzerinde çeşitli deneyler yapan, ruh hastası oğlan çocukları gibi hissediyorum.

Önce şunu açıklığa kavuşturayım. Kedi medi atmış değilim!

Birkaç kez alıp geri vermiş olabilirim sadece!

İşle eğlenceyi karıştırmayacaksın!

Benim hayata bakışım, felsefem, aslına bakarsanız, birçoğumuzun da aynen hissedip, açık açık söylemeye utandığı bir kural üzerine inşa edilmiştir:

Yapmak zorunda olduğun işleri mümkün olan en az çabayla tamamlamak!

İkinci, belki de daha önemli bir hayat kuralım da, **yaşadığım her şeyi "ciddi iş" ve "eğlence" şeklinde ikiye ayırmaktır.**

Yazı yazmak, kariyer, sağlık, ev hayatı, ciddi işlerdendir örneğin.

Arkadaşlıklar, ilişkiler, yemek yemek, kitaplar, filmler, cilt bakımı, seyahat, spor gibi alanlarsa "eğlence" kategorisine girer benim için.

Yani bu konularda zorunluluk, sorumluluk, belli saatler, kurallar olmamalı ve bu konular, benim isteğim dışında (örneğin fazla gezip tozup yorgun düşmek gibi durumlar hariç) yorgunluk kaynağı olmamalıdır.

Bunun için **"En son ben aramıştım, şimdi sen arayacaksın, yoksa küserim!" tipi arkadaşlıklardan** kaçınırım!

Bu yüzden, arkadaşlarımın hepsi, övünmek gibi olmasın, birinci sınıftır. "İdare edilen", "mecburen görüşülen" kimse yoktur aralarında.

Yirmi mekik, kırk dakika yürüme, yirmi dakika kondisyon bisikleti gibi programlı sporlardan kaçarım.

Dans etmeyi, stilsiz, şapır şupur sular sıçratarak ve kendime göre su balesi yaparak yüzmeyi tercih ederim!

Yemeğin tadını beğenmezsem aç kalmayı yeğlerim, ama bir oturuşta üç porsiyon İnci profiterol de yerim!

Uzatmayalım.

Evcil hayvan sahibi olmak, bu ikinci grupta zannederdim hep.

Çocuk yapsam daha mı kolay?

Bu arada kedilere de bayılırım.

Hatta, neredeyse, yaşlı ve hayatta kimsesi olmayan kedi sever kadınlar gibi, oradan buradan kesilmiş kedi fotoğraflarını da etrafa gösterebilecek potansiyeli kendimde görüyorum.

Uzatmayayım...

İki sene önceydi. Bir tanıdıktan iki tane yavru kedi aldım!

Biri siyah, zayıf ve çekingen, öteki beyaz, şişko, gayet sosyal bir tip. Ve bunlar iki erkek kardeş.

Çocukluğumda, bahçede beslediğim kedilerden alışmışım.

Kedi mır mır kucağına gelir, seversin, oynarsın, bu kadar. Arada da yemek verip yemesini seyredersin. Pek şeker yerler kediler.

Gerisine karışmazsın. O kedinin sorumluluğudur.

Öyle değilmiş.

Kediler geldi. Ve tuvalet problemi ortaya çıktı.

Tuvalet aldık, kum aldık. Yerini beğenmediler. Mamanın özel cinsi varmış, bebekler onu yermiş. Nasıl kokuyor anlatamam, balıklı, tavuklu pötibör bisküvi düşünün, feci.

Gittim, ev şeklinde yatak aldım. Elbette asla orada uyumuyorlar. Yazıcının üstü favori yerleri. Kâğıtlar tüy içinde.

Titizliğim tuttu mu sana. Tuvaletlerini arka balkona koydum ve fakat girip çıkamıyorlar. Kapıyı aralık bırakıyorum, üşüyüp başka yerlere kaçıyorlar. Kendilerini sevdirmiyorlar, kaçıyorlar.

İkinci gün veterinerde aldık soluğu. Orada kedi sahipleriyle ahbap olduk. Genellikle üstü başı tüy içinde, mutlu ve sakin insanlar!

Birinin kedisi geçen sene kist aldırmış, "Bir hafta Pasiflora'yla ayakta durdum," diyor.

Ayda bir aşıları varmış, yok efendim pire spreyleri, tarakları, bakımları, vitaminleri. Eğitimi, psikolojisi, oyunu, süs faresi, şuduru, buduru...

Yahu bilseydim çocuk yapardım! En azından büyüyünce bana bakar.

Üçüncü gün, pire spreyi sıkıp tarama faslından sonra, tırmık ve tıslamalar eşliğinde, hiç sevilmediğimi anladım.

Bu soğuk savaş birkaç gün sürdü. Sonra bana değil ama ortama alıştılar. Evin bir ucundan öteki ucuna kovalamaca oynuyorlar, atlayıp zıplayıp vahşi hareketler yapıyorlar, çok eğleniyorlar, fakat kırıp döküyorlar ve ben, **sadece tuvalet temizleyip, mama veren, tırmıklanarak pire spreyi sıkan, antipatik yurt müdiresi rolündeyim.**

Hiç sevmedim. Sorumluluk, zorunluluk, iş, yorgunluk. Bahçe kedileri böyle değildi. **Hani eğlence?**

Ve iki kardeşi, eminim çok mutlu oldukları eve, annelerinin oturduğu yere geri yolladım. Rengârenk oyuncakları, evleri, yastıkları ve mamalarıyla.

İki hafta sürdü.

Yılmayıp, bundan bir yıl sonra aldığım, çok daha şirin, çok daha iyi huylu ve fakat çok daha beyaz ve dökülen tüylü Van kedisi "Van Damme"la olan kısa ama düzeyli ilişkimi ise başka gün anlatırım.

Zaten benzer bir hikâye. Tek fark, sebebin tüyler olması.

Hayvanseverler, size sesleniyorum. Benim gibileri hayvan dükkânlarına yaklaştırmayın, yaklaştıranları uyarın.

Bizden ne köy olur ne kasaba...

HAYVAN HAKLARI

Hayvan hakları, son zamanların tartışılan konusu.

Benim kafam, bu hususta biraz karışık.

Bu haklara kim karar verecek?

Hayvanlara bırakırsak yandık!

Onlar, salonun ortasına çiş yapmaktan, sahibini yemeye kadar, geniş bir yelpazede, her şeyi kendilerinde hak olarak görüyorlar!

Başka bir problem: İnsanlar için işkence gibi görülen şeyler, hayvanlar için gayet normal kabul ediliyor.

Mesela arabaya koşulmak, tasmayla gezmek, kafeste tutulmak, her gün aynı şeyi yemek!

Hayvan hakları işi çığırından çıktığında, mesela, muhabbet kuşları sahiplerine dava açabilecek mi?

"Üç aydır hapis tutuluyoruz, hâkim bey, bu adamdan (kanadıyla emekli Müştak Bey'i gösteriyor) davacıyız. Ayrıca manevi işkence görüyoruz. Bu aynı adam, üç aydır, her gün sabahtan akşama kadar, kafesin yanında durup, bize *"Babacığım"* dedirtmeye çalışıyor! Yani kararı adalete bırakıyoruz!"

İnsanlar için iyi olan bazı şeyler de, hayvanlar için kötü. Mesela kedisine elbise giydiren, kafasına kurdele takan tipler var. E bakalım o kedi, o rengi sevmiş mi? Kimse sormuyor!

Hadi diyelim ki, haklar belirlendi. Hayvan nasıl dava açacak? Nasıl avukat tutacak? Elde avuçta yok, okuma yazma bilmez...

Karışık işler bunlar.

FAKAT, O DA NE?

Boğaz kıyısında balık tutanlar akıllı insanlar. Deniz balık kaynıyor, insan hem eğleniyor hem sosyalleşiyor..

Dağ başındaki göl kıyılarına gidip, sessizlik içinde balık tutanlarsa, sadece kendi sabırlarını deniyorlar!

Niye sessiz sessiz bekliyorlar ki? Balığın bir yerde saklanıp kendilerini seyrettiğini ve saatler sonra, "A galiba tehlikeli biri değil," deyip geleceğini mi zannediyorlar?

Balıkların hafızası 6 saniye arkadaşlar! Balık, 6 saniyede bir şunu

yaşıyor: "Ah ileride yiyecek var, yaklaşayım... Ooo, şahane solucan! Fakat o da ne? Bu bir olta! Alçaklar! Yer miyim bunu ben!"
5. saniye, 6. saniye...
"Ama o da ne? İleride yiyecek var... Ooo şahane solucan...!"
Onun için balığın geleceği varsa, zaten gelirdi. Sevgili amatör balıkçılar, boşuna beklemeyin!

KELEBEĞİN ÖMRÜ

Zaman göreceli bir kavram.
Mesela kelebeklerin ömrü, bir gün!

Yaşlı bir kelebek, genç olana nasıl öğüt veriyordur acaba?
"Bak yavrum, ben sabahtan beri buradayım. Yani dile kolay, bir ömür! Yaşamım boyunca, bir tek şey öğrendim: Hayat çok kısa, yaşamaya bak!"
Ya da tam tersi. Yaşlı bir kaplumbağa...
"Şimdi bak, genciz o zaman. 114 yaşımın baharı! Bebek gibi bir Caretta Caretta flörtüm var. Kız, mevsimlik, gelir giderdi, Patara'da yazlıkçıydı bunlar! Şimdi böyle yavaşladığımıza bakma, o zamanlar cıva gibiyiz. Kanım deli, yerimde duramıyorum. Kimse hızıma yetişemiyor!"
Ne var? Zaman gibi, hız da göreceli bir kavram!

HAMAMBÖCEKLERİ

En güzel hayvanların deniz altında yaşıyor olması büyük haksızlık değil mi?
Mesela, at, çok kocaman olması hariç, güzel bir hayvan olarak kabul edilir. Denizatı, bütün bu güzellikle birlikte bir de minyondur.
Rengârenk balıklar, denizyıldızları....
Karada ne var? Fare, kırkayak, bukalemun!
Özellikle iç içe yaşadığımız hayvanlar en çirkinleri: Uyuz sokak köpekleri neyse, evimizi sahiplenen karasinekler, hamamböcekleri, güveler...

Bilim adamlarına göre, hayvanlar yaşadıkları yerin ortamına benzemeye başlıyorlar. Yani ağaç tırtıllarının, o ağacın yeşili olmaları gibi.

Bilemiyorum ama, ben hiçbir hamamböceğinin fiziki özellikleri kötülüğünde dekore edilmiş bir ev görmedim!

Yani biraz oymalı kakmalı, lüzumsuz desenli, rüküş bir böcek olsa yine kabullenirdik ama...

Belki de, sevilmediklerini bildiklerinden kompleks içindeler ve ruhlarındaki bu kötülük yüzlerine yansımış!

Yani, kedilerle güzel köpekleri saymazsak, eli yüzü düzgün bir hayvan görmek için ya safariye gitmek ya da dalmayı öğrenmek gerekiyor.

MAYMUN VE MUZ

Doğada her şeyin bir sebebi vardır. Hiçbir şey tesadüf değildir.

Mesela, maymunun ana gıdasının muz olması, gayet yerinde bir olaydır. Tamamen planlı bir seçimdir. Aksi halde, maymunun eğlenceli hiçbir hali kalmaz!

Maymun soytarılık yapmak için yaratılmış bir hayvandır.

Yani insanlar kendilerine benzeyen, ama açık ve seçik kendilerinden daha aşağılık, daha salak, daha ufak tefek ve şaklaban bir yaratık görüp, insan olmanın değerini anlasınlar, övünsünler, kendilerini müthiş bir şey sansınlar diye!

Verin maymunun eline çiğ et. Gayet vahşi ve korkutucu!

Verin elma armut, çok normal.

Verin ekmek içi beyaz peynir, hiç komik değil.

Ama ver muzu eline, "Ahahah, ayol maymuna bak, aa nasıl böyle soyuyor muzu!"

Muz, dikkat edin, hakkında en çok espri yapılan meyvedir de aynı zamanda. Elmanın, portakalın yanında, meyvelerin komedyenidir! Çeşitli şeylere benzetilmesi bir yana, muz kabuğuna basıp düşme esprileri, nedenini anlayamadığım bir şekilde hâlâ yapılmaktadır.

Hayvanların en eğlencelisiyle, meyvelerin en eğlencelisinin bir araya gelmiş olması, bir tesadüf değildir. Doğanın bir hikmetidir!

KÖPEK EĞİTİMİ

Hayatta anlayamadığım insan grupları arasında başta gelenler, köpeklerini eğitmeye çalışanlardır.

Aranızda bunlardan varsa, lütfen can kulağıyla beni dinleyin.

Bazılarınız köpeğine terlik getirmeyi öğretti; oturmayı, kalkmayı, patilerini havaya dikmeyi ezberletti. Bazılarınız hayvana elbise ve şapka bile giydirdiniz.

Arkadaşlar, köpek köpektir.

Ne kadar uğraşırsanız uğraşın, Bobi asla insan olamayacak! Vazgeçin.

O köpeği eğitmeye harcadığınız vakit, nakit ve çabayı, bir ilkokul öğrencisine verseydiniz mesela, çocuk şimdiye kadar doktor olmuştu!

Bu terlik getirme işini keyif gibi anlatıyorsunuz: "Eve geliyorum, kanepeye oturuyorum, yatak odasına gitmeye gerek kalmadan, bizim köpek hemen terlikleri getiriyor."

Ne güzel.

Fakat sen bu numarayı hayvana öğretmek için aylarca yerde süründün, bağırdın çağırdın.

Gidip terlik giymek daha pratik olmaz mıydı?

Hayvanları da kendinizi de rahat bırakın!

UZAYLILAR, ZOMBİLER, DENİZKIZLARI, VE DİĞER HAYALİ MAHLUKAT!

Uzaylılar aramızda!

Amsterdam'da bulunan Luca isimli çocuk uzaylıysa, benim bir sürü arkadaşım da öyle! Hatta bazı sanatçılar ve çoğu politikacı da... Belirtiler aynı zira!

İki hafta önce, Amsterdam Merkez İstasyonu'nun 2 numaralı peronundaki Burger King'de sahipsiz bir çocuk bulundu. Boynundaki isim kolyesinde "Luca" yazan çocuğun saçları ve kaşları yok.

Fiziksel yapısında, özellikle kafasında çeşitli farklılıklar görülüyor. Davranışları mekanik, tanımlanamayan bir dil konuşuyor, daha doğrusu anlamsız sesler çıkarıyor ve karşılaştığı olaylara duygusal tepkiler vermiyor!

Yani gülmüyor, ağlamıyor, heyecanlanmıyor.

Birçoklarına ve Türkiye'deki Sirius Ufo Uzay Bilimleri Araştırma Merkezi'ne göre, **büyük ihtimalle Luca bir uzaylı!**

Oldum olası severim uzaylıları. Bana bir zararları dokunmamıştır!

Ne zaman uzay gemileriyle ziyarete gelseler, dış politikaya, ekonomiye, şudura budura dalmış sıkıcı dünyada tatlı bir heyecan olur!

Uzaylı, mahalleyi dolandırıp kaçtı!

Ayrıca en sevdiğim asparagas haberler de uzaylılarla ilgilidir.

Amerika'da sırf "**Sapık uzaylı Mississipi'de iki kız kardeşle alem yaptı**" veya "**Oklahoma'ya uçan dairesiyle inen uzaylı, 27 yaşındaki porno yıldızına tecavüz ettikten sonra, kadının cüzdanını çalıp uçarak uzaklaştı**" gibi yaratıcılıkta sınır tanımayan haberleri için National Enquirer gazetesi alırdım!

Buradaki "haber fotoğrafları" da birer gazetecilik dersiydi.

Mesela Oklahoma'da geçen olayda, porno yıldızının, yatakta, tecavüzden hemen sonra çekildiğini varsaydığım, yorgun, şaşkın, fakat dantel çamaşırlı ve bol makyajlı büyük boy fotoğrafının yanında, muhtemelen 2. sınıf bir aktörle, bir şeytan çiziminin bilgisayarda birleştirilmiş ve "kötü niyetli uzaylı" olmuş hali yer alırdı.

Resim altları ayrı şaheserdi.

"Nadine (27): *Bana uzaydaki kadınların frijit olduğunu söyledi ve evlenme teklif etti. Ona güvenmiştim, oysa cüzdanımı çaldı!*" veya ***"Bu boynuzlu, kuyruklu, yeşil renkli adamı görürseniz sakın borç vermeyin ve hemen karakolu arayın!"***

Uzaylıların bizim kadar "kirli, çürük ve adi" olabilirliklerine dair korkularımız kendi kötülüğümüzden!

Kafalarına taş atmaya çalışmanın, hatta, geçen günlerde seyretmişsinizdir, tüfekle uçan daire beklemenin başka açıklaması olamaz. "Bu antenli herifler gelip tarlama konacak, beni vurup karımı, kızımı kaçıracak!" gibi endişelerden!

Oysa uzaya götürülüp birtakım deneylere tabi tutulduktan sonra geri getirildiğini iddia eden insanların anlattıkları dışında, hiçbir kötülüklerini görmedik gariplerin!

Hatta pek pratik tipler de değiller!

Niye ikide bir geliyorlar?

İkide bir buralara gelip gidiyorlar. **Nereden baksan koskoca uçan daire, bunun yakıtı var, personeli var, yemesi içmesi, cep harçlığı, vergisi...** Her seferinde o kadar yol çekilir mi?

Koy bir gizli kamera, neyi merak ediyorsan gezegeninden, oturduğun yerden seyret kardeşim!

Işık hızıyla giden uçan daireyi icat etmişsin, elinde video kamera mı yok?

Amsterdam'da bulunan "uzaylı çocuk" Luca, gerçekten uzaylı mı, araştırılacak. Hatta bu amaçla bizim Sirius'çular bile yetkililerle temasa geçmiş.

Amsterdam'a hiç gittiniz mi bilmiyorum ama bence oradaki tek uzaylı Luca değil!

Amsterdam, New York, Londra, hatta İstanbul gibi şehirlerde, sokağa çıkınca şöyle bir alıcı gözle etrafa bakın! Ne demek istediğimi anlayacaksınız.

İstanbul'daki tek UFO müzesinin Beyoğlu'nda olması tesadüf mü sizce?

İlkokul arkadaşlarınızı bir gözünüzün önünden geçirin. Hatta ilkokul öğretmeninizi, lisedeki kimya hocanızı, üniversitedeki rock grubunun elemanlarını, okul birincisini, mahallenin delisini, ofisteki muhasebe müdürünü, üst kat komşunuzu, kuaförünüzü, Rafet El Roman'ı...

Onlar aramızda!

Men in Black filmlerindeki gibi sessiz sedasız, bizlerle kaynaşmış, yaşıyorlar!

Luca'nın saç ve kaşlarının olmaması dışında, elimizde uzaylı olduğuna dair tek bulgular, **davranışlarının mekanik olması,**

duygusal tepkiler vermemesi, gülmemesi, heyecan göstermemesi ve ne dediğinin anlaşılmaması. Bizdeki bazı politikacıların bana hep başka gezgenlerdenmiş gibi gelmesinin sebebi de böylece ortaya çıkıyor. **Adamlar uzaylı!**

Belki, ilk başta, düzayak, geminin inmesi kolay diye Ankara'yı tercih ettiler; sonra da baktılar izzet, ikram, yerleşiverdiler.

Böylece yurt dışına "inceleme gezilerine" giden Ankaralı heyetlerin de neden eşi dostu beraberlerinde götürdükleri, seminerlere katılmak yerine neden alışveriş yaparak vakit geçirdikleri de ortaya çıkıyor. **Kıyak iş gezisi bir uzay geleneği!** Gizli kamera sistemi kurmak yerine ikide bir buraya gelmenin temelinde yatan zihniyet!

Yoksa şark tembelliğiyle, sorumsuzlukla hiç ilgisi yok...

Kötü niyetli uzaylılar yüzünden!

DENİZKIZLARI

O nasıl bir garip tahayyül gücüdür ki, şu tuhaf kahramanlar ortaya çıkmıştır: Dracula, Kurt Adam, Denizkızı...

Hâlâ bunları seyredip duruyoruz.

Dracula, ya da o isimde garip ve kötü bir adam, aslında Doğu Avrupa'da gerçekten yaşamış, tamam. Yani tarihi bir kişilik.

Denizkızını da çok garipsemiyorum, çünkü bu efsaneyi ilk uyduran erkeğin hayalindeki kadın olması çok muhtemel!

Kadın bir kere konuşamıyor, biliyorsunuz! Sadece şarkı mırıldanabiliyor.

Bacaklar yok, yürüyemiyor.

Yani dırdır ve alışveriş olayı söz konusu değil!

"Ayy, evde balık pişirmem, kim temizleyecek onu, kokar da şimdi ıyy!" gibi bir kapris de konu dışı, çünkü kız balık kokusuna alışık.

Ayrıca şahane uzun saçlı ve sürekli topless geziyor!

Yani aslında bir erkek için ideal kadın.

Ve fakat kurt adamın nasıl bir özlemden doğduğunu çözebilmiş değilim.

FİL KADIN!

Ne kadar nefretlik hayvan varsa kahraman yapıyoruz: Yarasa adam, örümcek adam.

Bir tane şirin, "köpek adam" yok. Veya "civciv kadın!"

Ben kahraman olsaydım fil kadın olmak isterdim.

Neden derseniz, hayatı, yarasa, örümcek gibi uyduruk hayvanlara göre çok uzun. 70 yıl. Yani hem süper kahramansın, hem de hiçbir yere yetişmen gerekmiyor.

Ayrıca sempatik.

O kadar yıl boyunca, insanlar gibi bunama falan da söz konusu değil, çünkü hiçbir şey unutmuyor, fil hafızası tabii.

Başarısızlık durumunda kimsenin kafa tutma durumu da olmaz, cüsse ve hafıza malum, suyuna gitmek lazım.

Gotham şehrinin gökyüzüne yazıyorlar: *Fil kadın, kurtar bizi!*

"Tamam, gideriz ya bir ara. Canım, ben hatırlıyorum bu çocuğu, seri katil değil mi bu? On yıldır adam öldürüyor. Nasıl olsa unutmam, kafaya yazdık. Geliriz kardeşim bir ara, seneye meneye, Allah Allah."

Sıkıysa kafa tut!

ZOMBİLER, UZAYLILAR

Bazı korkularımız o kadar gerzekçe ki, film endüstrisine ekmek kapısı olmaktan başka işe yaramıyor.

Mesela uzaylılar.

Bir sürü film uzaylıların gelip dünyayı istila etmesiyle ilgili.

Böyle bir şey olabilir mi?

Güya adamın gezegeninde su bitmiş, dünyanın suyunu alıp götürecek. Yani uçan daireyi yapıyor, ışık hızıyla buraya gelip gidiyor, ama iki hidrojenle bir oksijeni evinde birleştirip içemiyor!

Geçenlerde, yine böyle bir filmde, uzaylılar dünyaya insanları yemeye gelmiş! Tarlalara işaretler yapıyorlar falan. Çünkü kendi gezegenlerinde gıda bitmiş (hep bir şeyi bitirip geliyorlar ya).

Fakat en sonunda fark ediliyor ki, su bunları öldürüyor. Asit etkisi yapıyor!

Pekiyi, Hollywood, sen buna bu kadar para harcadın. Los Angeles'taki hiçbir sivri zekâlının aklına gelmedi mi, madem sudan ölüyorlar, dörtte üçü su olan insanları nasıl yiyecekler, diye?

Siz de ben de de para verip seyrettik mi?

Eveet.

O zaman hiçbir şey söylemeye hakkımız yok!

Holywood'un salaklıklarının en klasiklerinden biri de, zombilerdir.

Yani yaşayan ölüler. Zaten tanım itibariyle abuktur, çünkü yaşıyorsa, zaten ölü değildir.

Neyse, yine para verilip film çekildiği için, seyretmişizdir.

Zombiler toprağın altından çıkarlar ve arkadaş grubu halinde, ağır ağır yürüyerek insanlara saldırırlar!

E kaçsana.

Zombinin yetişmesi mümkün değil, dede gibi.

Yani, gördün mü, tabana kuvvet kaçacaksın, bitti.

Niye korkulur anlamıyorum.

Gafil avladı, uzaktan yakaladı diyelim, kendini sıyırır koşarsın, en fazla üstün başın topraklanır. Köpek kovalasa daha kötü!

Bence film yapımcıları "Yok artık, valla bunu da yediler oğlum" diye, gittikçe daha saçma şeyler bulup, şanslarını zorluyorlar.

GÜNEŞ, KUM, DENİZ VE HAYATIN EN SEVDİĞİM BÖLÜMLERİ: TATİLLER!

Tatile çıkarken, evinizi evde bırakın!

Seyahate götürdüğünüz eşyalardan hangilerine gerçekten ihtiyacınız olacak? Bir gün bir havayolu bavulunuzu kaybederse bu sorunun gerçek cevabını bulursunuz!

Önemli bir yol ayrımındayım!

Ya saç düzleştirici fönüm olmayacak bavulda ya da neredeyse ansiklopedi büyüklüğündeki "Movies and Methods" kitabım.

Çünkü hafta sonu çantasına ikisi birden sığmıyor!

Daha küçük kitapları canım çekmiyor. İlla ki bunu okuyacağım. Öyle karar vermişim.

Bu duruma göre, tatilde ya güzel olacağım ya entelektüel!

Veya ikisini birden alıp çanta değiştireceğim. Hem eşyalar baştan yerleşecek hem de büyük bavulu uçağa almayacaklar. Bodrum Havaalanı'nda, çocukların üstünde zıplamaya bayıldıkları, insanların önünde iyi bir yer kapmak için itiştikleri bavul bandına gözümü dikip, çıktı mı çıkmadı mı diye heyecanlar çekeceğim.

Porselen kedim olmadan şuradan şuraya gitmem!

Varolmanın Dayanılmaz Hafifliği'nde, **Milan Kundera**, Sabina karakterine şöyle dedirtir: **"Yerlere, insanlara ve eşyalara çok bağlanmamaya çalışıyorum."**

Bunu dedikten kısa bir süre sonra, Çekoslovakya, Rus işgaliyle karşı karşıya kalır ve Sabina arabasına atlayıp, eşyalarını geride bırakarak alelacele İsviçre'ye taşınır. Haklı çıkmıştır.

Zorunlulukları bir yana bırakın, tatiller, maceralar, "gezginlikler" için önemi nedir eşyaların?

Dergilerin en kral konularındandır: "Tatile giderken yanınıza ne alırsınız?"

Kimi insan sayar: **"Oyuncak ayım, yastığım, tütsülerim, annemin hediyesi vazom, porselen kedi biblom, şuyum, buyum."**

Nedir bu göçebelik korkusu?

Eğer amaç evden uzaklaşmaksa niye gittiğin yere evi götürürsün ki? O zaman otur oturduğun yerde!

Ben otel odalarına, o odalardaki geçicilik hissine bayılırım.

"Al," derler, **"küçük sabunlar, küçük şampuanlar, kısa zaman için ihtiyacın olacak şeyler.** İşte bu haftanın şehir rehberi, sonrasını, hâlâ burada olursan gelecek hafta düşünürüz."

Göç duygusu çok ferahlatıcıdır. Ucu açıktır. Özgürlüktür.

Ben bavullara, çeşit ve miktarlarını abartsam da, sadece gittiğim yerde rahat etmek için gereken şeyleri koyarım.

Onlar da şart değildir ya...

Karnaval Havayolları'yla gerçek bir karnaval!

Yıl tee 1996. Aylardan Eylül.

İki arkadaşımla New York'tan Miami'ye gideceğiz. Üç günlük bir tatil yapıp, dönüşte New York'ta okula başlayacağız.

Ekonomik bir plan yapmışız. En ucuz bilet araştırılmış, eli yüzü düzgün hiçbir havayolunda istediğimiz fiyatı bulamayınca, Miami gezimizi ilk defa duyduğumuz, güzide Carnival Airlines'la yapmaya 3'te 2 oy çoğunluğuyla karar vermişiz. Bu "Karnaval Havayolları" daha çok Miami'ye, Jamaika'ya uçan, ufak bir şirket. **Muhalefet yapan arkadaşımıza göre "Kesin bavullar kaybolacak," ama bizim umurumuzda değil.**

Miami'de başka arkadaşlarımızla da buluşacağız, gezilecek, tozulacak. Kozmetikler, elbiseler, elbiselere uygun ayakkabılar, onlara uygun takılar, **seyahat ütüsünden bigudi setlerine, tüm "hayati" ihtiyaçlarımız üç dev bavulda yerini aldı.**

Normal şartlarda birkaç ay yaşayabileceğimiz miktarda eşyayla, Miami'ye vardık. Ya da öyle zannettik.

Ve "karnaval" başladı.

Elbette, bavullardan eser yok! Üç bavul da kayıp olduğu gibi, uçağın yarısı da bizimle aynı durumda!

Formlar doldurup, çaresiz, otele gittik. Moraller bozuk. Gece yarısı, 24 saat açık bir süpermarket bulup, gecelik olarak kullanacağımız zevksiz birer turistik tişört alıp, yattık uyuduk.

Bavullar gitti, kavga bitti!

Ertesi sabah birer bikini, çamaşır, birer askılı elbise satın aldık.

Plaja, çıplak ayak, üzerimizde marketten aldığımız "Miami'ye Hoşgeldiniz" yazan tişörtlerle gidip geliyoruz. Bir Vanıty Fair dergisi aldık, sırayla okuduk.

Ve hayatımızın en muhteşem tatilini geçirmeye başladık!

Bavul yerleştirme, ne giyeceğim derdi, o ona uydu, bu buna uymadı, takı takma, güneş kremi, makyaj, saç kurutma, kitabımı yanıma aldım, almadım, hiçbiri yok!

Detaylarla vakit kaybetmeden sadece gezip tozuyoruz.

Otel odasında gün içinde en fazla 20 dakika geçiriyoruz.

İklim özelliği, öğlene doğru, kısa bir yağmur yağıyor. Plajdan herkes çantasını, kitabını kurtarmak için kaçışırken, biz yerimizden kıpırdamıyoruz. **Eşya yok ki ıslansın!**

Anladık ki, seyahatin keyfi böyle çıkıyormuş!

Tatilin son günü, havaalanına gitmek üzereyken, bavullar bulundu. "Aman," dedik, "hiç göndermeyin, biz geliyoruz." **Ve o bavullar, açılmadan eve döndü.**

Bir daha Karnaval Havayolları'yla uçmadık!

Ama bir sonraki tatilde, eski hamam eski tas, yine bavulları bir sürü ıvır zıvırla doldurduk...

Siz bu yazıyı okurken, ben en azından yarısı hiç kullanılmayacak bir sürü kıyafetin üzerine saç düzleştirici fönü tıkmak ve kitabı da elime almak suretiyle, deniz kıyısına varmış, hatta yüzmüş ve yanmış olacağım.

Kendimi mümkün olduğu kadar evden uzaklaşmış hissetmeye çalışarak.

Eşyalı veya eşyasız...

Size de tavsiye ederim!

Arap Çölü'nden bildiriyorum: Hava yağmurlu!

Geçen hafta Dubai'deydim. Ancak kış ortasında yaz tatili planım tutmadı. Arabistan'ın orta yeri görülmemiş bir yağmur ve kapalı havaya sahne oldu. Ne göz varmış sizde ama!

Bravo sevgili okuyucularım! Beddualarınız tuttu!

"Siz bu hafta sonu pencereden çamurlu sokaklara bakarken, beni 26 derece Dubai'de, havuz kenarında hayal edebilirsiniz," demiştim.

Ne yazık ki Dubai'de gerçekleştirmeyi planladığım bu alçakça güneşlenme ve yüzme planım tutmadı. Çünkü 5 yıldır damla düşmemiş **Arap çölleri, hasetiniz sayesinde, üç gün boyunca sağanak yağmur ve bulutlu bir havaya sahne oldu**.

Ne zaman ki gezi bitti, dönüş uçağına gitmek için otobüse bindik, hava açtı!

***

Ben Dubai'yi daha uzak sanıyordum. Dört saatte gidiliyor. Uçtuğumuz havayolu, Emirates her detayı düşünmüş.

Yolculuğun başında size farklı etiketlerin olduğu bir kart veriyorlar. Etiketlerden seçtiğinizi koltuğunuza yapıştırıyorsunuz. "Yemek gelince beni uyandırın", "İnerken beni uyandırın", "Beni rahatsız etmeyin" seçenekleri var.

"Eğer yemek çok iyiyse, hafifçe omuzuma dokunun, uyanırsam yerim. Baktınız oralı değilim, derin uyuyorumdur, yere inmeden bana ilişmeyin" etiketi henüz yok. Olsaydı uyuyacaktım.

***

Dubai'ye iner inmez havaalanında, yollarda, hep aynı seri katillerin resmini gördük. Hararetle aranıyorlardı ki her caddede dev fotoğrafları asılmıştı. Kimbilir kaç kişiyi temizlediler diye aramızda konuşurken, o cani suratlı adamların ülkenin değerli, saygıdeğer ve de çok zengin emirleri olduğunu öğrendik!

Evet çok önyargılıyım.

Siz değil misiniz?

Bayılır mısınız Araplara?

"Fellah" demez misiniz? "Allahın Arabı"? "Çöl Bedevisi"? Yaaa. Siz var ya siz!

Pakistanlı siyasal bilimci ve yazar Dr. Feroz Ahmad, "Making of Modern Turkey" (Modern Türkiye'nin Kuruluşu) adlı kitabında diyor ki: "Türkler aslında dünyada hiçbir millete karşı ırkçılık gütmezler. Ezeli düşmanları olarak tanınan Yunanlılara bile. **Sadece Araplara karşı, ırkçılığa yakın bir önyargı vardır. Türklere göre Araplar, pis, tembel ve güvenilmez insanlardır.**"

Eh, ben de sizin bu önyargılarınızı yerle bir edeyim de görün!

Arap yapmış!

Denize giremedik ama, gezdik, gördük, öğrendik.

Dubai'de işsizlik yüzde 1! Onu da üniversiteden mezun olmuş, kendine iş bakan gençler oluşturuyor.

Dubai'de suç oranı sıfıra yakın. İnsanlar arabalarını ve evlerini kilitlemiyorlar.

Dubai'de her yer tertemiz.

Dubai'de rüşvet almayı deneyen, yolsuzluğa yeltenen herkes sınırdışı ediliyor.

Dubai'de petrol 14 yıl sonra bitecek. Bunu yıllar öncesinden hesaplayan "Çöl Bedevisi" turizme ağırlık vermiş. Emirates Havayolları'nı kurmuş. Harika oteller yapmış. Ülkede vergiyi tamamen kaldırmış. Şimdi de 120 kilometrelik bir plaj kazanacakları ve üzerine 3000 ev, 89 otel inşa edecekleri, denizin doldurulmasıyla oluşan palmiye şeklindeki ada projesine başlamışlar.

Yelken şeklindeki yıldızlı Burj Al Arab Oteli'nin, hiç de öyle sanıldığı gibi zevksiz, kitsch, kıro falan olmadığını da belirtmeden geçemeyeceğim...

Dubai'yi yılda 13 milyon insan ziyaret ediyor!

Bunlar sadece parayla olmuyor. **Petrol dolarları, içinden şerbet akan altın çeşmelere harcanmamış yani.** Zekice yatırımlar yapılmış.

"Allahın Arabı" aynı zamanda çevreyi de koruyor!

Çölün ortasında inanılmaz bir lüks butik otel olan Al Maha' nın tüm gelirleri, çölde yaşayan, ve nesli tükenmeye yüz tutan, antilop, şahin, Arap kurdu gibi hayvanların yetiştirilip doğaya salınması için kullanılıyor.

Bu oteli görmeye çöle gittik...

Yanında peçesi olan var mı?

Çölle ilgili ilk intibam: Evet, çok kum var!
O kadar çok kum var ki, saçlarınızın arasına, ağzınıza, burnunuza, kulaklarınıza giriyor. Hiç durmadan kum çiğniyorsunuz.
Dubaili kadınların artık terk etmeye başladıkları geleneksel kıyafetleri, siyah, çarşafa benzeyen, başı, kulakları tamamen kapatan bir giysi ve burnu, ağzı kapatan çok garip bir deri maskeden oluşuyor. Bazıları da sadece göz kısımları delinmiş peçe takıyorlar.
Bu kıyafetlerin hepsi çöle çok uygun. Daha doğrusu çöl için şart!
Hoplaya zıplaya, ciple kum tepelerini aşarak yaptığımız çöl safarisinden sonra, resim çektirmek için 15 dakika arabadan indik ve kumlarda yürüdük. O 15 dakika içinde geleneksel kıyafetlerden giymediğimize ve yüzümüzde peçe olmadığına pişman olduk. Hâlâ kum döküyorum!
Böylece çarşafın, peçenin, dinle değil, Arap coğrafyası ve geleneğiyle ilgili olduğunu, bizzat tatbik ederek onayladım!
Çölle ilgili ikinci intibam: **Çok sessiz.**
Dalga sesi, su şırıltısı, kuş cıvıltısı, rüzgar uğultusu, ağustos böceği cırıltısı, yani bizim sükûnet sandığımız seslerin hiçbiri çölde yok. "Kum kırıltısı" diye bir ses de olmadığı için, çöl dünyanın en sessiz bölgesi.
Parlak sarı renkte, sulu meyveler yetişiyor çölde. Kumların üzerinde, iple birbirine bağlanmış plastik limonlara benziyorlar. Develer hastalanınca iyileşmek için yiyorlarmış. Antilopların günlük gıdasıymış.
İnsanlar ise yer yemez zehirlenip ölüyorlarmış!
Çöl böyle bir yer...
Gökyüzü alabildiğine mavi. Dört taraf, üstünüze örtü örtmüşler veya kapak kapatmışlar gibi....
Bertolucci'nin harika filmi, "Çölde Çay" diye bilinir Türkiye'-

de. Orijinal adı "Sheltering Sky"dır. Yani, barındıran, koruyan gökyüzü. Kumlara sırtüstü yatıp göğü seyrederken o geldi aklıma. **Kızıl-sarı çöle, uçsuz bucaksız, beyaz bulutlu, mavi gökyüzüne âşık oldum.**

Birçok insan benim gibi düşünüyor olmalı ki, Al Maha Oteli her zaman dolu. **Müşterilerinin arasında Sting de var.**

Sting, Desert Rose'u burada yazmış olmalı.

(Englishmen in New York'u da New York'ta tabii. Demek bu yüzden bizimkilerden iyi beste çıkmıyor. Gündüz Unkapanı Plakçılar Çarşısı, akşam Etiler barları. İlham perisini koydunsa bul!)

"Sheltering Sky"a dönüyorum. Şöyle derler filmde: **"Turistle gezgin arasındaki fark şudur: Turist dönüş tarihini bilir."**

Biz dönüş tarihimizi gayet iyi biliyorduk ve çöl anılarımıza, safari tecrübelerimize rağmen, tam da turistler gibi, ellerimizde onlarca duty free torbasıyla vatana döndük.

O esnada Dubai'de, bulutlu geçen üç günün sonunda, açan havayla birlikte, yine herkes plajlara koşuyordu!

Mart ayında, Dubai'de alışveriş festivali var. Vergisiz Dubai'de, marka mallar bu dönemde bir kat daha ucuzlayacak. İlgileniyorsanız gidin, hem çölü de görmüş olursunuz.

Ama gitmeden önce bana haber verin.

Yağmur duasına çıkacağım!

Hint Okyanusu'ndan bildiriyorum, dönmeyi düşünmüyorum!

Evet, İstanbul'un çamurlanmaya başlamasıyla birlikte soluğu Mauritius'da aldım. Pişmanlık veya suçluluk da duymuyorum!

Neden?

Çünkü iş için gittim.

İş neydi?

Mauritius'un turistik ve doğal güzelliklerini, Emirates'in Mauritius uçuşlarındaki servis kalitesini yerinde görmek ve incelemek! Bir araştırmacı gazetecilik olayı da diyebiliriz. Ne var? Araştırılabilecek herşeyi araştırmadıysam iki gözüm önüme aksın! İşte bu çalışmalar sonucunda, adadan izlenimlerim. (**"Keşif Günlüğüm"** diye de adlandırabiliriz. Daha havalı olur.)

Keşif günlüğüm

30 Eylül 2002
Yolculuk başlıyor.

9 kadın gazeteci, uçaktayız. İkram ve iltifatta kusur yok. **Gak deyince şampanya, guk deyince film.** Bu esnada, bir nevi iş gezisi ya, Mauritius hakkında internetten indirdiğim bilgileri okuyorum:

Afrika'nın güneydoğusunda, bir ucundan öteki ucuna arabayla iki saatte gidilen bir ada burası.

10. yüzyılda Arap tüccarlar keşfetmiş, ama bir şeye benzetemeyip geçip gitmişler. 1498'de Portekizliler gelmiş ama gemiden karaya çıkan fareler ve maymunlar dışında, adaya kattıkları birşey olmamış. 1598'de Hollandalılar adayı sahiplenmiş, Afrikalı köleler getirmiş, 1710'da da terk etmişler. 1715'de Mauritius Fransız kolonisi olmuş, bu dönemde çok gelişmiş, ama 1814'te İngilizlere kaptırılmış. 1835'de kölelere özgürlükleri verilmiş ve işgücü Hintli ve Çinli işçiler ithal edilerek büyütülmüş.

Ada 1968'de İngiltere'den bağımsızlığını kazanmış, 1992'de cumhuriyet ilan edilmiş (evet 1992'de!).

Ve fakat bu koltuklar uyumaya gayet müsait. Gece olmuş. Ayrıca da Dubai aktarmasını saymazsak önümüzde yaklaşık on saat var.

Yarın incelemelerimi daha aydınlık kafayla yapabilmek için,

film kütüphanesinden "Gosford Park"ı seçip, karşısında uyuklamaya başlıyorum. Amacıma ulaşmam kısa sürüyor.

Bir bardak şarap ve 19. yüzyılda geçen bir İngiliz filmi, her zaman işi bitirir...

1 Ekim 2002

Kara göründü

Uçak uykusu, yatak uykusunun yerini tutmuyor ne de olsa. Palmiyelerin, hindistancevizi ağaçlarının arasından geçip otele vardığımızda muşmula gibiyiz! **Bizi "sega" dansıyla karşılıyorlar** oysa. Kızlar rengârenk uzun eteklerini iki ucundan tutmuşlar kıvırıyorlar. Yanında birer de mango-ananas kokteyli. Arka planda deniz hakikaten turkuaz, kum hakikaten kâğıt beyazı. **Bilgisayarla oynanmış falan değil yani, o gördüğümüz Mauritius fotoğrafları gerçekmiş!** Ne var ki, uyku gözümüzden akıyor.

***

Akşam üstüne doğru kendimize geliyoruz. Hava limonata gibi. Mauritius'ta yaz yeni başlıyor. Denize giriyoruz ve yürümeye başlıyoruz. Açıl açıl, su dizimizi geçmiyor. Küvette oturur gibi oturup debeleniyoruz. Deniz içilebilir güzellikte, ayağımızın altı mercan parçalarıyla dolu. Daha dün, bu saatlerde işteydim. İnanılır gibi değil.

2 Ekim 2002

Palmiyenin kalbini kırmayın. Sadece çıkarın!

Bir tekne dolusu kadın gazeteciyiz.

Allah korusun o katamarana bir şey olsa, Türkiye'de moda dergisi, kadın dergisi, hafta sonu eki, hiçbirşey kalmaz!

Şelaleleri geziyoruz, şnorkelle deniz altı güzelliklerine, bir de birbirimizin bikinili haline bakıp duruyoruz. Hep aynı laf: **"Ay sen inceciksin, bir de benim halime bak!"** Herkes iltifat peşinde.

Öğlen yemeği, geyik avcılarının favorisi bir dağ parkında.

Yediğimiz içtiğimiz de benim olmasın, siz şimdi merak edersiniz: Hint usulü, bol "curry" ile, ki bir karışık baharattır, pişmiş geyik eti ana yemek. Yanında Hint usulü soslar, yani chutney'ler var: Minik minik patlıcan kızartmaları, limon turşusu, şudur budur. Çok lezzetli.

Yemekten önce bize küçük bir şov hazırlamışlar. Yerli kadınlar sac üzerinde kızartılan yassı ekmeklerin pişirilmesini gösteriyorlar. Hayatımızda hiç hamur açan, ekmek yapan görmemiş gibi, ellerimizde fotoğraf makineleri ve "Aa, çok enteresaaan" nidalarıyla, Alman turist rollerini paylaşıyoruz. **Önce kim söyleyecek acaba diye düşünürken, aramızdaki en Türk hangimizse atılıyor:** "E aynı bizim gözleme!".

Türkler seyahatlerde böyledir, illa ki, her şey, "Aynı bizim bir şey"dir. "Aynı bizim gözleme", "Aynı bizim beyaz peynir", "Aynı bizim imece sistemi", "Aynı bizim başlık parası!"

Menüde **"Palmiye kalbi salatası"** deniyor ve uygulamalı olarak palmiye kalbinin nasıl çıkartıldığı gösteriliyor. Mauritius'lu ve gayet katil tipli avcı, kesilmiş palmiye gövdesini katmer katmer soyuyor. Aynı bizim soğan! En sonunda bembeyaz, bir metre uzunluğunda, kol kalınlığında bir silindir kalıyor. **O silindir, palmiyenin kalbi, kesip kesip yiyorsunuz.** Az sonra önümüze parçalanmış hali salata olarak geliyor. **Aaa, tadı aynı bizim taze badem!**

3 Ekim 2002

Amazonlar tatilde!

Otel otel geziyoruz. Residence senin, St. Geran benim.

Mauritius'ta çirkin otel yok. Güzelleşmesini bilmeyen otel de yok aslında. Odalar acayip şık, yemekler şahane, servis süper. Sanki hepsi birer butik otel. Türkiye için üzülüp duruyoruz. Her otelde bizi "Türk gazeteci grubu" diye tanıtıyorlar. Ve her otelde aynı şaşkınlık: "Aahaha, ne hoş, sadece hanımlar!" **Türkiye'de,**

gazetecilik konusunda garip bir cinsel kota olduğunu düşünüyorlar herhalde!

Sabah, öğlen ve akşam çok lezzetli yemekler yiyoruz. Yöreye özgü (ne demekse) balıklar, Hint, Afrika ve Çin mutfaklarının karışmasından meydana gelmiş, baharatlı, soslu Mauritius yemekleri enfes. Ve her sabah, herkes birbirine o gece ne kâbus gördüğünü anlatıyor! Her defasında daha az yemek için sözleşiyoruz, ama ne fayda.

Mauritius'un simgesi, pelikanın şişmanı ve yüzü azıcık akbabaya da benzeyen "Dodo" kuşu. Camdan, yeşim taşından, hasırdan Dodo'lar adanın en sık rastlanan hediyelikleri. Ama Dodo kuşları artık yok. **Çünkü Hollandalılar, zamanında altın değerinde olan abanoz ağaçlarını kesip zengin olmaya adaya geldiklerinde, bütün Dodo'ları kesip yemişler**. Nesillerini tüketinceye kadar!

Ama haklarını yememek lazım. Canları içki istediğinden, rom yapmak için, adanın her yerine şekerkamışı da ekmişler. Şu anda Mauritius'un en önemli gelir kaynaklarından biri de bu! **Dağ taş adam boyu şeker kamışı.** Romlar da hiç fena değil.

4 Ekim 2002
Sepetlerin nesli tükendi

İşte beklediğimiz an. **En sonunda alışveriş günü. Heyecanlıyız, neşeliyiz.**

Günün ilk bölümündeki kuş cenneti ziyareti ve yedi renkli toprak bölgesi, bu heyecan yüzünden hızlı geçiyor. Aklımızda kalan kendini ters asmış uyuyan dev yarasalar ve hakikaten yedi farklı renkte toprağın içindeki madenler yüzünden, aynı anda bulunması. Fotoğraflarımızı çekip, asıl konuya giriyoruz!

Aslında Mauritius'ta alınacak pek bir şey yok. Ne Dodo kuşu heykelcikleri ne de artık herkeste envai rengi bulunan paşmina şallar pek ilgimizi çekiyor. **Derken gözümüz hasır sepetlere ilişiyor.**

Böyle durumlarda herkes bir işaret bekler. Ne zaman ki aramızdan biri çıkıp, "Bu sepetler Nişantaşı'ndaki dükkanlarda 200 dolar!" diyor, film kopuyor! Sepete doyamıyoruz. Her renk, her desen, çığlıklarla karşılanıyor. Herkes birbirini dolduruyor: **"Sen de al, hediye al, eşe dosta al, al ayol al!"**

Bundan sonra Mauritius'un simgesi bu sepetler olacak, Hollandalılar Dodo'yu, Türkler sepetleri bitirdi diyecekler...

5 Ekim 2002

Arkadaşlar tuhaf bir çeşit tacize uğruyorlar!

Şimdi efendim, bunlar tutturdular **denizaltı yürüyüşü** yapacağız diye. Neymiş? Kafana eski model dalgıç kasklarından geçirip ağırlıkla birkaç metre denizin altına iniyorsun. Orada ayakta durup, balıklara bakıp, Yasemin Dalkılıç pozlarında fotoğraflar çektirdikten sonra çıkıp hayatın boyunca anlatıyorsun.

Sevmem böyle sakat işleri ben.

Küçük bir grup olarak **"Hele siz bir yapın, kimse boğulmazsa biz de deneriz,"** dedik ve sahilde, şemsiye altında uyumaya çekildik.

Maceracı gazeteci ekibi ise şarkılar söyleyerek denize açılıyor. Kaskları, ağırlıkları takıp, korkuları yenip, denize atlıyorlar.

Suyun dibi buz gibi, ama olsun. Sıra sıra dizilip, balıklar seyrediliyor, ekmek veriliyor, okşanıyor. Fotoğraflar çekiliyor. **Derken bunları daldıran "hoca"lardan biri, "deniz hıyarı" tabir edilen şeyden getiriyor.** Hani denizin dibinde yosun gibi durur, salatalığın uzunu ve siyahı gibidir. "Elleyin," diyor, daha doğrusu işaret ediyor, çünkü denizin dibinde kimse birbirini duymadığından işaretlerle anlaşılıyor. Herkes saf saf deniz hıyarına dokunuyor. Ne de olsa "çevremizi tanıyalım" dersindeyiz.

Sonra çok tuhaf bir şey oluyor; dalma hocası, deniz hıyarını biraz daha ve ritmik hareketlerle elliyor, ve "Çekirge"lerden tekrar dokunmalarını istiyor. Buna bir anlam veremeyen ekip söyleneni yapıyor ve görüyorlar ki deniz hıyarı artık sert!

Herhalde dalma hocası, bunun bütün turistlerin görmesi gereken bir doğa fenomeni olduğunu düşünüyor. Ama bizim ekip denizaltındaki mercanlardan daha kırmızı bu esnada.

Böyle durumlarda en kestirme kurtuluş hep birlikte kikirdemektir. Ve fakat, daha önce de belirttiğim gibi, deniz altında kimse birbirinin sesini duymuyor. Kasklar yüzünden boyun hareketleri, bakışıp sırıtma da imkânsız. Sonuç: **Deniz altında, başlıkların içinde kendi kendine gülen, kendi kendine utanan, sıra sıra, bir avuç değerli Türk gazeteci ve çok eğlenen deniz hıyarları!**

Unutulmaz bir gün!

6 Ekim 2002

Sırça tekne

Son günümüz.

"Deniz hıyarı" hadisesinden sonra, Mauritius'un denizaltı zenginliklerini, tabanı şeffaf pleksiglastan yapılmış tekneyle incelemeye karar veriyorum! Pek güzel bir çözüm. **Mercanlar, rengârenk inanılmaz balıklar, elimde kolam, hem yanıyorum hem televizyon gibi seyrediyorum!**

Deniz hıyarlarıyla temasımız yok.

Akşam üstü sepetlerimizi yüklenip Dubai'ye uçuyoruz. Oradaki bekleme süresince, elbette bir alışveriş seansı daha yaşanıyor.

İki film, bir yemek, biraz kestirme derken İstanbul'a varıyoruz.

Hiç gelesim yoktu ya...

Yıllık iznimin bir bölümü!

Tatilcilikle yazlıkçılık aynı şey değildir, dikkatinizi çekerim. Tatilci acele eder, plan yapar, keşfeder... Yaz-

lıkçı ise balkon estiği ve dolapta karpuz olduğu müddetçe, yerinden kalkmadan aylar geçirebilir! Tatilci zamana karşı yarışmakta, yazlıkçı ise zaman öldürmektedir...

Bu yaz Bodrum'da bir ay süreyle "yazlıkçı" olmayı planlarken, sadece bir buçuk gün için "tatilcilik" yapmak kısmet oldu...

Önce tatilin süresi kısaldı. En başında bir ay planlıyorduk. **Gidecektik Bodrum'a, "yazlıkçı" olacaktık!**

Yazlıkçılık, tatilcilikten başka bir seydir. **Tatilci** acele eder, **yazlıkçı** gevşektir. **Tatilci** sabahtan akşama kadar güneş kremi, beta karoten hapları, zeytinyağı, koka kola, kakao yağı gibi hizlandırıcılarla yanar, **yazlıkçı** gölgede kitap okur.

Tatilci sabahtan akşama mayoyla dolaşır, geceleri gezer tozar. **Yazlıkçı** sabahtan tişörtünü, şortunu giyer, sallana sallana kahve içer, gazete okur. Akşam televizyon seyreder, sessiz film oynar, uyur...

Tatilci bulunduğu sıcak iklim beldesinin bütün özelliklerini sinirli zamanda yaşayabilmek için plan program yapar. Bütün plajlara gider, yeni açılan yerlere uğrar, yerel yemeklerden tadar, koşturur durur.

Yazlıkçı balkonunda ızgara yapıp, esneye esneye salıncakta sallanır!

Tatilci zamana karşı yarışmaktadır, **yazlıkçı** ise zaman öldürmektedir.

Yazlıktayız, bizi kurtarın!

En son ortaokul yıllarında yazlıkçı oldum.

Her yaz, üç ayı ailelerimizle sayfiye evlerinde geçirmek zorunda kalan bir avuç ergen olarak, sabahtan aksama kadar sikayet ediyorduk.

Salıncaklar, bahçe sulama, akşsam üstü çayları, ızgara partileri, çoban salata, balkondan televizyon seyretme, marketin önündeki duvarda oturan çocuklar, denizde voleybol oynayanlar... Hepsi sinirimize dokunmaya başlamıştı.

Fazla yavaştı, fazla iyimserdi.

Denize gitmeyi reddediyor, odalarımıza kapanıp müzik dinleyerek bu (bize göre) ölü zamanları protesto ediyorduk!

Kısa süre içinde bu uyuşuk yazlıkçılığı feci şekilde özleyeceğimizi bilmeden...

O gün bu gündür yazlıkçılık yapmaya vakit olmadı. Yazlar, kısa, çalınmış, bütün yıl beklenmiş ama yetmeyen, aceleci tatillerle geçti.

Ta ki bu seneye kadar.

Bu sene hayatımda en çok çalıştığım yıllardan biriydi.

Kararım kesindi, bir ay Bodrum, bahçe, televizyon, gölge, ızgara...

"Ben bugün denize inmeyeceğim, her gün her gün sıkıldım" diyebilme lüksü...

Okuyacağım kitaplar, tatil, daha doğrusu "yazlık" giysilerim, CD'lerim, her şey hazırdı...

Derken GAG uzatıldı.

Kaldı üç hafta.

Gazetemin genel yayın müdürü **Emre İskeçeli** ve yayın koordinatörü **Levent Ertem**, dostluğumuza güvenerek, cebren ve hile ile **"yıllık iznimin hiçbir bölümünü, hiçbir zaman kullanmamaya"** beni ikna ettiler. "Eh," dedim, "Ne olacak. Bodrum'dan yazarım."

Gitti mi haftada bir tembel akşam üstlerim de sana!

Tatil yapacakken kıymet koptu!

Derken **g.a.g**'ın reklam kasetleriyle ilgili bir gecikme olunca, is biraz daha sarktı.

Kaldı iki hafta!

Ben vallahi iki haftaya da hazırdım.

Ama ne oldu?

Ben yıllar sonra adam gibi tatil yapacağım ya...

Ankara, Cumhuriyet tarihinin en ilginç hükümet kriziyle karıştı.

Veee...

Gazeteci bir çift olduğumuz için, **"eş durumundan"** ben de burada kalakaldım.

Tatil tarihimiz meçhul.

Belki bir uzun hafta sonu, sanşlıysak bir hafta.

Siz bu yazıyı okuren, ben Sapanca'da bir buçuk günlüğüne 'tatilcilik' yapıyor olacağım. Bir sürü kitap, dergi, iki haftalık kıyafet ve kakao yağımla birlikte.

Acele acele, koştura koştura...

Bodrum gerçeği! Dınnn...

Ayıptır söylemesi, en sonunda, tatilim başladı. İki haftadır Bodrum'dayım. Bu vesile ile, metropoldür ya da değildir, Bodrum'la ilgili bir mini yazı dizisine başlamaya karar verdim...

Subjektif gerçeği benden öğrenin, bu konuda objektif olamayacağım, kişiliğim müsait değil. Size Bodrum'la ilgili tüm bilinmeyenleri artık açıklıyorum!..

Gerçek nedir? Sizin tarafınızdan bakıldığında ne görülüyorsa o! "Gözümle gördüm" denmez mi? Ben de, benim gördüğüm Bodrum'u anlatacağım size. Çünkü şimdi yazlık yerlerle ilgili sosyal yaşam haberlerini nereden öğreniyoruz? Muhtelif magazin programlarından.

E onlarin ekipleri nerelerde geziyor? Şudur budurlu meyhane, çalgılı şahane, bilmem ne... Bir de Türkbükü'nden manken manzaraları...

Türkbükü'nde izdiham!

Genellikle, önce şöyle deniyor: **"Eğlencenin merkezi Bodrum'a gidiyoruz şimdi. Gözde tatil beldesinde, plajlar sereserpe güneşlenen güzellerle dolup taşıyor".** Birkaç üstsüz ve bu sene patlayan tangalardan giymiş turist kız kameralara el sallıyor, birkaç üstsüz olmayan, ama seksi bikinili Türk kız kameralardan kaçıp toparlanmaya çalışıyorlar. Sonra **"Özellikle Türkbükü sahilleri ünlülerin akınına uğruyor"** anonsuyla, hemen Çagla Şikel'in teleobjektifle çekilmiş bikinili görüntüleri, mankenin iskeleden suya atlayışı. Fonda, minderlere gerçekten dolup, daha çok da taşan insanlar.

Ve **"Geceleri bir başka oluyor Bodrum'un, işte magazin turu"** derken, sırasıyla Kenan Doğulu, Gülşen, Cenk Eren, Rober Hatemo, İzel, Bengü, ki bu isimlerden bazılarının adını ilk kez bu programlarda duydum, çalıştıkları lokallerde aşağı yukarı aynı şarkıları söylerken, herkes uysun uymasın, göbek atıyor.

Bu mudur arkadaşlar?

Yani **"Geceleri bir başka oluyor Bodrum'un"** diye devrik cümleler kurup, Mazhar-Fuat-Özkan'sal bir havaya soktuktan sonra bizi, (bakın ben de devirdim cümleyi hatta) o rakılı göbekler, kötü ses düzenli, zaten çoğu iyi ses düzenine de değmeyecek şarkılar, oluyor mu?

Olmuyor!

O zaman ne demek lazım?

"Geceleri hep aynı oluyor Bodrum'un, şıkkıdı şık şık."

Olmaz. Bu sizin bakış açınız.

Neyse ki benim bambaşka bir bakış açım olduğu gibi, bir de bunu yazılarımda anlatabiliyorum.

Sübjektif gazetecilik!

"Bodrum Gerçeği" adlı yazı dizime başlıyorum. Metropoldür, değildir, o ayrı... Kendimizi kalıplara, başlıklara, bölüm isimlerine hapsetmeyelim.

Sevgili okuyucular, aşağıdaki satırlarda gerçeği, sadece gerçeği ve tüm gerçeği, benim subjektif gözlemlerimle okuyacaksınız!

Bodrum'da güzel şeyler de oluyor!

Önce en merak edilenden başlayayım.

Ben Türkbükü'nün en eski hallerini bilirim efenim. Dutluk, kekiklik, ya da öyle bir şey değildi tabii, yine plajdı. Ama kimse pek yüzüne bakmazdı. Tekneler mekneler hak getire. Bir tek, sakin, bazen klasik müzik çalan, nefis zeytinyağlı açık büfesi, tee o zaman renkli, taze meyveli kokteylleri olan, "Maça Kızı" vardı, giderdik. **Demek o Türk "beach" tarihinin ilk örneğiymiş de farkında değilmişiz.** Şimdi biraz ileriye taşınıp Türkbükü'nün havalı otellerinden biri oldu. Hey gidi hey!

Hiç gitmemişler için kabaca tarif: Türkbükü, Divan Palmira, Ada, Maki gibi birbirinden butik otellerin de yer aldığı, bazısı sakin, bazısı bangırtılı, ama illa ki şık şezlonglu iskele/bar'ların yan yana sıralandığı, Ship Ahoy, Havana gibi "beach club"larda yer bulabilmek için insanların birbirini ezdiği, çok fazla, hatta haddinden fazla teknenin demir attığı bir sahil.

Aslında ne Saint Tropez, ne de "Ay iğrenç **". Şık, lüks, fazla "in", benim zevkime göre biraz fazla kalabalık bir bölge.** Türkiye'de "Kim Kimdir" buraya geliyor, doğru. **Ama beach club'larda "Kim Kimdir"leri görmeye gelenler veya "Kim Onlarmis" gibi davrananlar daha çok.**

Bir de...

Amanın o gürültü!

Sabah sabah cıstak!

Yanlış anlamayın.

Ben yüksek sesle müzik dinlemeyi de severim, clubbing'e de aşinayım.

Ve fakat saat 13.00 itibarıyla değil.

Beach club'ların iddialılarında DJ var! İnsanın daha afyonu patlamadan, sabah sabah, bir başlıyorlar, nasıl anlatırdı Gırgır dergisi: **cıstak cıstak cıstak**... Garson geliyor, burnunuzun dibinde, ama anlaşmak ne mümkün. İnsanlar avazlarının çıktığı kadar bağırıyorlar: **"2 hamburgeeeer, 1 kolaaa!"**

Garson dudak okumaya çalışıyor. **Müşteri iki eliyle yuvarlak yapıyor, hamburgeri anlatmak için.** Ardından blender'da karıştırılmış karpuz ve buzdan oluşan "karpuz frozen"i elle tarif etmeye başlarken, ben yorulup pılımı pırtımı alıp kaçıyorum! Halbuki su tam sevdiğim gibi, sıcacık. **Ama neyleyim kenarında uyuyamadıktan sonra denizi!**

Bir yer keşfettim ki. Amanın! Ne olur aynı anda gitmeyin. Ne olur orası hep öyle sakin, huzurlu, rahat kalsın.

Gümüşlük'te, antik şehrin tepesinde, Limon diye bir yer. Müthis, binasiz, biraz yaban bir manzaraya tepeden bakiyor. Rahat kanepeler, minderler, ev yapimi limonata, deniz börülcesi, kabak çiçegi dolmasi gibi yerel lezzetlerin çok lezzetli, rafine edilmis halleri. Limon'un ekibi de bir acayip. **Servis yapanların arasında üniversitede profesör olanlar var!**

Limon'daki Bodrum başka

Gördüğüm en vurucu günbatımlarından biri.

Elektrik çaktırmadan kullanılıyor, her yerde mumlar, fenerler. O yüzden hava karardıktan sonra hiçbirini kaçırmadan, bütün yıldızları aynı anda görebiliyorsunuz. Gökyüzünde ne kadar sık yıldız kayıyor biliyor musunuz? Bu gece başlayacak meteor yağmuru olmadan bile...

Bazı geceler sadece perküsyonla müzik yapılıyor. Ve belki de sürpriz, bir **"poi"** gösterisi. Yani eline ucunda ağırlıklar olan fosforlu kumaşlar alan bir dansçı, onları müziğe uygun hareketlerle çeviriyor. Göz yanılması, o kumaşları karanlıkta çemberler, elipsler, çizgiler haline getiriyor. Dansçı bazen de, ucunda ateş yanan kumaşlar kullanıyor. **Yemek, içki, yıldızlar, perküsyon, ateşle dans derken, iş çığrından çıkıyor. Limon'a yerleşeceğiniz geliyor!**

Mekân tavsiye etmek sık yaptığım bir şey değil. Gidebilecek olan var, bütçe, mesafe, vakit sebeplerinden gidemeyecek olan var.

Ama madem konu benim bakış açımdan **Bodrum**, o zaman yazmaktan kendimi alamıyorum!

Bodrum bu mudur?
Bence budur!..

Bodrum gerçeği, dınn! İkinci bölümmm!

Sübjektif gözlemlerim ışığında Bodrum yazmaya devam ediyorum! Bodrum'u magazin programlarından değil, benden takip edin. Metropoldür değildir, beni yormayın. Yazar benim, ister New York yazarım, ister Şebinkarahisar! Hatta, Suşehri!

Üstteki spota rağmen Suşehrili9ler ve Şebinkarahisarlılar beni yakın zamanda beklemesin!

Bodrum'un ikinci bölümünü yazıyorum. Maksat, magazin programlarıyla yetinmeyin, "tatil belde"mizi bir de benden dinleyin.

Daha önce Türkbükü'nde gözlemlediklerimi aktarmıştım. Çünkü zaten "Türkbükü'nde duyduklarım"ı aktarmam mümkün değildi. Hatta, Türkbükü'nde bir tam gün güneşlenip hâlâ duyma yetisine sahip kalmak bile mucize. Bölgede her güneşlenen üç kişiye bir DJ düşüyor. **Güneşlenen kişi başına kaç desibel düştüğünü hesaplamaksa mümkün değil.**

Bunları daha önce okudunuz.

Bodrum'un orta yeri gürültü!

Bodrum'un içindeki desibel durumuna bakarsanız, iş daha da vahim.

Gazetelerde okumuşsunuzdur, Ahmet Ertegün bile evini terk etmek üzere. Ve fakat, üzülerek şunu da söylemeliyim: **Lütfen Ertegün'ün haklı şikâyeti yüzünden, Bodrum'u huzurevi haline getirmeyelim**. Yüreğim kaldırmaz.

Hepimizin gençliğinin bir dönemini heba ettiği, anılarla dolu Barlar Sokağı'ydı, Beyaz Ev'di, Halikarnas'tı, şuydu, buydu, gece hayatına dokunmayın. Genç turisti de Yunan Adaları'na kaçırmayın.

Marina çevresi derseniz, o başka. Orada üç beş yıl önce bir tek Küba vardı, onlar da hafif müzik çalardı. **Halbuki şimdilerde, o yoldan arabayla geçerken camlar zangırdıyor! E Ertegün'e de yazık, diğer mahalle "sakinlerine" de, tekneleri demirlemiş, uyumaya çalışan turistlere de...**

Bodrum'un içinde, gece hayatı mahallesi bellidir, oradaki eğlenceye de dokunmamak gerekir. Ötekilere desibel eziyeti mi yaparlar, saat sınırı mı koyarlar bilemem.

Bunların dışında Bodrum'un içi zaten hep aynı.

Liverpool posta idaresi çalışanları ve eşleri, Hollanda işsizlik sigortası devamlı müşterilerinin yanında, azınlık da olsa para harcamaya niyetli Rus turistler, dar sokaklarda omuz omuza volta atıyor. Geri kalanlar da, birkaç yaz içinde birer **Törkiş Kazanova** haline gelen, gördüğüm kadarıyla artık turist kız arkadaş konusunda **"Ne çıkarsa bahtıma" zihniyetini bırakıp, bol-**

luktan seçici hale gelmiş, eskisinden daha taklit Diesel kotlu ve daha İlhan Mansız saçlı, yerli gençler.
Bazı şeyler hiç değişmiyor...

Yediğim içtiğim sizin olsun!

Daha önce de yazmıştım. Gittiğim, yediğim içtiğim yerleri yazmak tercih ettiğim bir şey değil. Mesafe, bütçe, vakit problemleri yüzünden herkes aynı şeyleri yaşayamayabilir. Ama ne hikmetse seyahatlerden dönüşte de insanlar daha çok ne yenip içildiğiyle ilgileniyorlar.

Ayrıca **Wallpaper** dergisi taa oralardan gelip haber yapıyorsa, benim de **Changa'**dan bahsetmem lazım.

Para pul, parite, ayılar, boğalar, indi çıktıyla uğraşmaktan içine fenalık gelmiş iki başarılı borsacının, herşeyi bırakıp, biraz da keyif için açtığı bir restoran Changa. Kışlığı, bilenler bilir, Sıraselviler'de. Bu sene yazlığı da açıldı, Türkbükü'nde.

Bodrum'da yıllardır şikâyet ettiğim şey, Ege mutfağının hâlâ, sadece lezzetli ama en ilkel haliyle balıkçı restoranlarında yeniyor oluşudur.

Changa ilk defa bu kuralı değiştirmiş. Malzemelerin hepsi yerel, ama rafine formüllerle: **Favanın üzerine deniz börülcesi koyuyorlar mesela, üzerine koruk sosuyla. Veya kabak çiçeğini yufka gibi kullanıp içi lor peynirli sigara böreği yapıyorlar.** Evde de deneyin. Ama malzemeler Ege'den gelmeli.

Ben oradayken **Wallpaper** dergisinin ekibi geldi. Zannederim Bodrum Changa'yı yakında bu uluslararası dergiden okuruz.

Gece, müzik ve bizim çocuklar!

Marina çevresindeki kakafoni, Barlar Sokağı'nın cümbüşü, magazin programlarından izlediğiniz şıkkıdı şık şık...

Aldanmayın, yılmayın! Bodrum'da iyi müzik de var.
Bir gece **Mercan Dede** oradaydı. Hani tasavvuf müziği, doğu ezgileri ve dans ritmlerini birleştiren, yurtdışındaki ünlü partilerde çalan, asıl adı Arkın Allen olan DJ.
Çok, ama çok iyiydi.
Biz onunla da yetinirdik ama...
Birdenbire seyircilerin arasından New York'ta yaşayan genç cazcı İlhan Erşahin (ki biz, eskiden, Village'de onun çaldığı kulübe cumartesi brunch'larına giderdik, hey gidi hey...) **elinde saksafonuyla beliriverdi.**
İki müzisyen ayaküstü, ama uzuun bir jam session yapıverdiler ki... Ortalık duman, herkes ayakta...

Bodrum birdenbire gerçek Bodrum oldu.
Benim sübjektif Bodrum'um...
O geceyi gördükten sonra, niye döndüm, nasıl döndüm bilinmez. Bende bu gazetecilik aşkı olmasa, bir de yıllık iznim bitmese...
"Bodrum Gerçeği" yazılarım burada son buluyor.

NİYE SEVİNİYORSUNUZ?

Tatil herkesi sevindirir. Bazıları için yoğun iş temposundan, okuldan kurtulmak demektir.
Ev kadınları da çok heveslenir tatil zamanı gelsin de yazlığı gidelim diye..
Niye acaba?
Eğer ev işinden şikâyetçiysen, yazlıkta da aynı şey olacak.
Eğer ev işi yapmayan tiplerdensen, e zaten hiçbir şey yapmıyordun, tatil olunca ne değişti?
Bir de, her yazlık sitede var olan emekli amcalar çok sever yazlığa gitmeyi. Televizyonu balkona koymuşsun, denize gitmezsin, öğlenleri uyursun, hava 30 derece ama "esiyor" diye üstünde hırka, ayağında çorap.
O zaman kışlık evde otur, ne fark eder?

SUYA GİRMESEK?

Deniz mevsimi geldi, işkence başlıyor.

Deniz kenarında göbeği içe çekerek dolaşmak, gölgede kitap okumak, havalı görünen aktivitelerdir.

Karizmanın darmaduman olması denize girmeye karar verme anıyla başlar.

Suyun kenarına gittiğiniz an, "sahnedesiniz" demektir.

Çünkü ya denize karşı oturma açısından, ya da yapacak daha iyi bir şeyleri olmadığından, güneşlenen insanlar, denize giren insanları seyrederler!

Ayaklarınızdan suya girmeye başladığınızda, kritik karar anı gelir çatar.

Su buz gibidir!

Ya titrediğinizi çaktırmayarak, bu yavaş yavaş belinize doğru çıkan soğuk sudan zevk alırmış gibi yapıp, devam edersiniz. (Ki bu su içinde yürüyüş hareketi bile tek başına karizmayı bitirebilir.) Ya da seyredenlere rezil olmayı kabul edip, şemsiye gölgesindeki güvenli şezlongunuza geri dönersiniz!

Geri dönerken, bağırarak "Aaa, mümkün değil, çok soğuk, daha mevsimi gelmemiş" gibi ciddi tespitler yapmak veya "Ay, yüzme gözlüğüm evde kalmış, lenslerimi çıkarmamışım" gibi bahanelere sarılmak, artık pek tutulmamaktadır.

Ayağı suya soktuktan sonra, biraz aynı derinlikte, enine dolaşıp, midye kabuğu, taş toplama numaralarından sonra geri dönmek, benim tecrübelerime göre daha inandırıcıdır!

Havuzlardaysa denizdeki gibi sanki su yavaş derinleştiği için ağır ağır giriyormuşsunuz numarası da yapamazsınız.

Atlamanız lazımdır!

Havuz kenarında, derin düşüncelere dalmış süsü vererek dolaşıp cesaret toplamaya çalışırken, on defadan dokuzunda, yerdeki güneş yağına basıp kayılır.

Düşseniz de, akrobatik hareketlerle kendinizi toparlasanız da rezil olursunuz.

İyisi mi yerinizden kalkmayın!

GERİ GİT HEMŞERİM!

Niye denizi bu kadar çok seviyoruz?

Nedir bu çabalar?

Aman denize gidelim, aman tatile çıkalım, zaman ayıralım, para harcayalım, mayo alalım, kumlanalım, sıcaktan bunalalım.

Ama ne olursa olsun denize girelim!

Bakalım deniz sizi o kadar seviyor mu?

Bence hayır!

Sevseydi dalgalar açık denize doğru olurdu!

Nedir dalga?

Sizi kumsala geri iten bir güç. "Gelmeyin kardeşim, gelmeyin, git geri, git geri!" diyen bir şey.

Deniz bizi istemiyor! Daha başka ne yapması lazım bunu anlatmak için? Hiç mi gururumuz yok?

Ama biz neler neler icat etmişiz? Gemi, sörf, sal, kano, denizde bile motosiklete binelim diye jetski.

İlla ki denizde vakit geçireceğiz...

HAVUZ KURALLARI

Reklamları görüyorsunuz. Herkes genç, herkesin kanı kaynıyor. Plaj sahneleri, bikinili kızlar, dans edenler, trombolinde zıplayanlar...

Bana çok gerçekçi gelmiyor.

Neden derseniz, eğer bu bir tatil köyünde veya bir otelde geçiyorsa, muhakkak o trombolinde zıplamanın da kendine göre giysileri, saatleri ve kuralları vardır.

Kitleler halinde tatil yapmanın cilvesidir bu.

Odadan çıkılır, kapıdaki rahatsız etmeyin yazısını ters çevirmezseniz olmaz, odanız temizlenmez.

Havlu fişi alınır, havlu sırasına girilir, fişsiz havlu yasaktır.

Havuz kuralları diye bir şey vardır biliyorsunuz. Tabelaya yazarlar, en az 6-7 şıktır: Havuza girmeden duş alın, ayaklarınızı dezenfektan içeren küçük ayak havuzunda yıkayın. Havuz saatleri dışına taşmayın. Şöyle giyinin. Çocukları sokmayın. Atlamayın. Gürültü yapmayın. Bir alay laf.

Kahvaltı, yemek saatleri bellidir, odaya yemek götürmek yasaktır, tenis kortu vesaire gibi olanaklardan yararlanacaksanız, bir gün önceden isminizi yazdırmanız gerekir.

Sadece o otelde geçen, para yerine kullanılan fişler, boncuklar...

Yani, kendi içinde özerk, otoriter bir ülke!

E ben ofiste daha özgürdüm.

Bırakın işe gideyim! Rahat rahat ayağımı uzatır, kahvemi içer, bilgisayarımda fal bakarım.

TATİL KÖYLERİ

Yazın tatil köylerinden birine gitmek isteyebilirsiniz.

Tatil köyleri harikadır. Havuzlar, kumsallar, su sporları, açıkbüfe, temalı özel geceler...

Tek kusuru vardır tatil köylerinin: animatörler!

Maalesef işleri sizi eğlendirmektir ve sizinle henüz tanıştıkları için, eğlence kavramınızı pek bilmezler.

Sizin sessizce kitap okuyarak veya havuz kenarında yatarak eğlenebileceğiniz ihtimalini kabullenmezler mesela!

Siz, sakin sakin keyif yaparken, gelip kolunuzdan çekiştirmeye başlarlar: "Ne yapıyorsunuz bakalım burada? İp çekip yumurta atma yarışı var. Siz de kırmızı takıma seçildiniz. Çabuk kalkın. Kazanırsak ödül var: Bir sürahi çilekli votka!"

"Ben ip çekmem, yumurta sevmem, çileğe alerjim var, gündüz içki içmem, hele votkayı ağzıma koymam" demeye çalışırken, birlikte yürümeye başlamışsınızdır bile!

Bir de bakarsınız ki, siz 35 derece güneşin altında, kumlarda debelenerek, tanımadığınız bir sürü insanla birlikte, öteki ucunun nerede olduğunu bilmediğiniz bir ipi çekip dururken, mavi takımdan biri suratınıza yumurta atıyor!

Ama animatör mutludur, görevini yapmıştır.

Bir süre bunlara katlandıktan sonra, tatil köylerinin bana göre olmadığını anladım. Artık sessiz ve sıkıcı otelleri veya egzotik, uzak ülkeleri tercih ediyorum.

ÇOCUK HAVUZLARI!

Çocuk havuzları dünyanın hiçbir yerinde rağbet görmez. Boşu boşuna para harcanmış yatırımlardır.

Neden derseniz, benim tanıdığım bütün çocuklar, nedense, boğulmayı göze alarak büyük havuzlarında yüzmeyi tercih ederler.

Ayrıca sadece yüzmezler, aynı zamanda, tramplenin de en aktif kullanıcılarıdırlar!

Çocuklar aslında yüzmeyi sevmez.

Çocukların havuz sevmelerinin tek sebebi, sürekli çıkıp çıkıp atlama imkânıdır!

Çocuklar nedense böyledir. Durağan veya devam eden hareketleri değil, hızlı döngüleri, tekrarlayan çabuk aksiyonları severler. Mesela masanın etrafında sürekli dönmek. Veya oturup efendi gibi yemek yemek yerine, gidip koşup, gelip bir lokma almak, yine gidip koşup, yine bir lokma. Oturdukları yerde bacaklarını sallayıp, ritmik olarak koltuğun ayaklarına vurmayı severler. Salıncak, tahtırevalli, hep bu garip pedagojik durumdan ortaya çıkmıştır.

Dolayısıyla hiçbir çocuk, tramplenden atlayıp yüzmez. Düştüğü anda geri çıkar ve diğer çocuklarla birlikte, yine atlamak için, itiş kakış sıraya girer!

Çocuğun havuz olayı budur!

Ve sadece bu, başlı başına sizin havuz kenarında güneşlenme ve uzun uzun yüzme zevkinizi tamamen mahvetmiyormuş gibi, çocuk, her atlayışında da, eş dost, anne baba ve akrabaları da ısrarla durumdan haberdar eder, elbette yine çabuk ve ritmik duyurularla:

"Anne, anne bak, anne, anne bak, anne, anne bak, anne"!

Ve fakat anne bakmaz!

On yedi, on sekizinci "anne bak" a gelindiğinde, tek istediğiniz o anda arkadaşıyla çan çan eden annenin boynunu kırarak, trampleni seyreder pozisyona getirip, çocuğun susmasını sağlamaktır!

Çocuk varsa, havuz keyfi bitmiş demektir.

İÇİNDEKİLER

ÖNSÖZ 7

EVLER, ODALAR, EŞYALAR VE EV KADINLARI 9

İŞLER, GÜÇLER, OFİSLER VE ÇALIŞMA HAYATI 23

HER ŞEY MAL MÜLK, HER ŞEY PARA PUL 39

DOSTLAR ALIŞVERİŞTE GÖRSÜN. (EĞER HAVALI BİR MAĞAZAYSA TABİİ!) 51

PARTİLER, DAVETLER, İNSANLAR, DOSTLUKLAR VE ALLAHIN BELASI SOSYAL HAYAT! 63

DANS, MÜZİK, GECE HAYATI, EĞLENCE... 73

YEDİĞİNİZ İÇTİĞİNİZ BENİM OLSUN! 85

İCATLAR, KEŞİFLER, BULUŞLAR 101

MODALAR, TRENDLER VE DİĞER FUZULİ İŞLER. 113

SPORCUNUN SPOR YAPMAYANI MAKBULDÜR 127

YOGA, ORGANİK GIDALAR, VEJETARYENLİK, DOĞAL HAYAT... SAKIN EVDE DENEMEYİN! 139

HASTALIKTA, SAĞLIKTA VE BİLİMUM EVHAMDA... 153

GENÇLER, YAŞLILAR VE ARADA KALANLAR! 167

GÜZELLİK GEÇİCİDİR, AMA HERKESE BULAŞMAZ! 175

FİLMLER, TELEVİZYON, SAHNE VE ŞOV DÜNYASI 191

ERKEKLER VE TABİİ, MECBUREN
ARABALARLA FUTBOL! 205

KABA KUVVETE KARŞI MIYIZ? KİME EL KALKAR,
KİME KALKMAZ? 213

AŞK, MEŞK, ÇIKMA, AYARTMA VE SONUÇ: EVLİLİK 221

ANNELER, BEBEKLER, ÇOCUKLAR... 233

EĞİTİM, DİL, KÜLTÜR, TARİH... KOLAY MI? 245

HAYVANLAR ÂLEMİ 261

UZAYLILAR, ZOMBİLER, DENİZKIZLARI VE DİĞER
HAYALİ MAHLUKAT! 271

GÜNEŞ, KUM, DENİZ VE HAYATIN EN SEVDİĞİM
BÖLÜMLERİ: TATİLLER! 279